『「秋丸機関」関係資料集成』解説

不二出版

JN150917

凡例

※本書は編集復刻版『「秋丸機関」関係資料集成』（編・解説　牧野邦昭、全二〇巻、別冊一）の別冊である。

※「秋丸機関」作成資料一覧は、本集成へ未収録の資料も含め、所蔵を確認できる「秋丸機関」作成の資料を一覧とした。

※原則として旧漢字は新漢字に改めた。

［全巻収録内容］

Ⅰ　機関動向・総論

配本	巻	資料番号	資料名	分類	発行年月	底本所蔵館
第１回配本	第１巻	一	秘　経研目録第一号　資料月報	機関動向	一九四〇年四月	福島大学食農学類
		二	経研目録第三号　資料目録	機関動向	一九四〇年六月	福島大学食農学類
		三	経研目録第四号　資料目録	機関動向	一九四〇年七月	福島大学食農学類
		四	経研目年第一号　資料年報	機関動向	一九四〇年一二月	牧野邦昭所有
		五	秘　班報　第一号	機関動向	一九四〇年八月	福島大学食農学類
		六	秘　班報　第二号	機関動向	一九四〇年九月	福島大学食農学類
		七	班報　第三号	機関動向	一九四〇年一〇月	福島大学食農学類
		八	秘　経研訳第四号　マックス・ウエルナア著　列強の抗戦力	総論	一九四〇年七月	牧野邦昭所有
	第２巻	九	経研資料工作第一号　第一次欧州戦争ニ於ケル主要交戦国経済統制法令輯録	総論	一九四〇年八月	東京大学経済学部資料室
		一〇	経研資料工作第二号　第二次欧州戦争ニ於ケル交戦各国経済統制法令輯録	総論	一九四〇年八月	東京大学経済学部資料室
		一一	極秘　第一　物的資源カヨリ見タル各国経済抗戦力ノ判断	総論		福島大学食農学類
		一二	経研資料工作第一号　第二次欧州戦争に於ける経済戦関係日誌　第一年度（自一九三九年九月一日至一九四〇年八月三一日）	総論	一九四〇年九月	東京大学経済学図書館
第２回配本	第３巻	一三	経研資料工作第一号ノ二　第二次欧州戦争に於ける経済戦関係日誌　第二年度（自一九四〇年九月一日至一九四一年八月三一日）	総論	一九四一年九月	東京大学経済学図書館
		一四	経研資料工作第一号ノ三　第二次欧州戦争に於ける経済戦関係日誌　第三年度（自一九四一年九月一日至一九四二年八月三一日）	総論	一九四二年九月	東京大学経済学図書館
		一五	経研資料調第四号　主要各国国際収支要覧	総論	一九四〇年一二月	国立公文書館
		一六	秘　経研報告第一号（中間報告）　経済戦争の本義	総論	一九四一年三月	防衛省防衛研究所
		一七	重要記事索引上ノ準拠項目一覧表（七、二九）	総論		防衛省防衛研究所
	第４巻	一八	極秘　経研資料調第十一号　抗戦力より観たる各国統治組織の研究	総論	一九四一年四月	東京大学経済学部資料室
		一九	秘　抗戦力判断資料第一号　抗戦力より観たる列強の統治組織	総論	一九四一年四月	北海道大学附属図書館
		二〇	部外秘　経研情報第一七号　海外経済情報　昭和十六年四月十五日	総論	一九四一年四月	国立公文書館
		二一	部外秘　経研情報第二二号　海外経済情報　昭和十六年六月三十日	総論	一九四一年六月	国立公文書館
		二二	部外秘　経研情報第二三号　海外経済情報　昭和十六年七月十五日	総論	一九四一年七月	国立公文書館
		二三	経研資料調第二十七号　レオン・ドーデの「総力戦」論	総論	一九四一年九月	東京大学経済学部資料室
		二四	経研資料調第三七号　経済戦争史の研究	総論	一九四一年一二月	防衛省防衛研究所

Ⅱ　連合国

配本	巻	資料番号	資料名	分類	発行年月	底本所蔵館
第3回配本	第5巻	二五	英国の農産資源力	イギリス		福島大学食農学類
		二六	経研資料工第五号　第一次大戦に於ける英国の戦時貿易政策	イギリス	一九四一年一月	東京大学経済学部資料室
		二七	極秘　経研資料調第十四号　英国に於ける統帥と政治の連絡体制	イギリス	一九四一年五月	東京大学経済学部資料室
		二八	秘　抗戦力判断資料第二号（其一）　経済的抗戦要素としての印度及緬甸	イギリス	一九四一年八月	防衛省防衛研究所
	第6巻	二九	秘　抗戦力判断資料第二号（其二）　経済的抗戦要素としての印度及緬甸	イギリス	一九四一年八月	防衛省防衛研究所
		三〇	秘　抗戦力判断資料第二号（其三）　経済的抗戦要素としての印度及緬甸	イギリス	一九四一年八月	防衛省防衛研究所
		三一	秘　抗戦力判断資料第二号（其四）　経済的抗戦要素としての印度及緬甸	イギリス	一九四一年八月	防衛省防衛研究所
		三二	極秘　第一部　物的資源力ヨリ見タル英国ノ抗戦力	イギリス	一九四〇年一一月	福島大学食農学類
		三三	［英国　綿花・大麻・亜麻・黄麻・ヒマシ油・桐油・生綿・生護謨］	イギリス		福島大学食農学類
	第7巻	三四	秘　抗戦力判断資料第四号（其一）　第一編　物的資源力より見たる英国の抗戦力	イギリス	一九四一年一二月	東京大学経済学部資料室
		三五	秘　抗戦力判断資料第四号（其二）　第二編　人的資源より見たる英国の抗戦力	イギリス	一九四二年二月	東京大学経済学部資料室
		三六	抗戦力判断資料第四号（其三）　第三編　資本力より見たる英国の抗戦力	イギリス	一九四二年九月	北海道大学附属図書館
	第8巻	三七	抗戦力判断資料第四号（其四）　第四編　生産機構より見たる英国の抗戦力	イギリス	一九四二年一月	北海道大学附属図書館
		三八	部外秘　抗戦力判断資料第四号（其五）　第五編　貿易及び配給機構より見たる英国の抗戦力	イギリス	一九四二年七月	防衛省防衛研究所
		三九	抗戦力判断資料第四号（其六）　第六編　交通機構より見たる英国の抗戦力	イギリス	一九四二年八月	北海道大学附属図書館
第4回配本	第9巻	四〇	秘　経研資料調第三九号　濠洲の政治経済情況	イギリス	一九四二年一月	国立公文書館
		四一	秘　経研資料調第四〇号　生産機構ヨリ見タル濠洲及新西蘭ノ抗戦力	イギリス	一九四二年一月	国立公文書館
		四二	秘　経研資料調第六九号　南阿連邦経済力調査	イギリス	一九四二年四月	国立公文書館
		四三	秘　経研資料調第七〇号　南阿連邦政治経済研究	イギリス	一九四二年四月	東京大学経済学部資料室
		四四	アメリカ合衆国の農産資源力	アメリカ		福島大学食農学類
		四五	極秘　経研資料調第十六号　一九四〇年度米国貿易の地域的考察並に国別、品種別	アメリカ	一九四一年五月	東京大学経済学部資料室
		四六	極秘　第一部　物的資源力ヨリ見タル米国ノ抗戦力	アメリカ	一九四〇年一一月	福島大学食農学類
		四七	抗戦力判断資料第五号（其一）　第一編　物的資源力より見たる米国の抗戦力	アメリカ	一九四二年三月	東京大学経済学部資料室
	第10巻	四八	抗戦力判断資料第五号（其二）　第二編　人的資源より見たる米国の抗戦力	アメリカ	一九四二年三月	東京大学経済学部資料室
		四九	秘　抗戦力判断資料第五号（其三）　第三編　生産機構より見たる米国の抗戦力	アメリカ	一九四二年四月	防衛省防衛研究所
		五〇	抗戦力判断資料第五号（其四）　第四編　資本力より見たる米国の抗戦力	アメリカ	一九四二年六月	北海道大学附属図書館
		五一	抗戦力判断資料第五号（其五）　第五編　配給及貿易機構より見たる米国の抗戦力	アメリカ	一九四二年六月	北海道大学附属図書館
		五二	抗戦力判断資料第五号（其六）　第六編　交通機構より見たる米国の抗戦力	アメリカ	一九四二年八月	北海道大学附属図書館
		五三	経研報告第一号　英米合作経済抗戦力調査（其一）	英米	一九四一年七月	東京大学経済学部資料室
		五四	極秘　経研報告第二号　英米合作経済抗戦力調査（其二）	英米	一九四一年七月	東京大学経済学部資料室
		五五	極秘　経研報告第二号別冊　英米合作経済抗戦力戦略点検討表	英米	一九四一年七月	大東文化大学図書館

部	配本	巻	資料番号	資料名	分類	発行年月	底本所蔵館
Ⅱ　連合国	第５回配本	第11巻	五六	極秘　ソ連経済抗戦力判断研究関係書綴	ソ連	一九四一年二月	防衛省防衛研究所
			五七	極秘　経研資料工作第十三号　極東ソ領占領後ノ通貨・経済工作案	ソ連	一九四一年八月	防衛省防衛研究所
			五八	極秘　経研資料工作第一八号　東部蘇連ニ於ケル緊急通貨工作案	ソ連	一九四二年三月	防衛省防衛研究所
			五九	極秘　経研資料調第七二号　蘇連邦経済力調査	ソ連	一九四二年五月	防衛省防衛研究所
			六〇	極秘　経研資料調第七三号（其二）　蘇連邦経済調査資料（下巻）	ソ連	一九四二年四月	石巻専修大学図書館
			六一	部外秘　経研資料調第七四号　ソ連農産資源の地理的分布の調査	ソ連	一九四二年五月	防衛省防衛研究所
		第12巻	六二	経研資料工作第四号　支那事変経済戦関係日誌　第一輯	中国	一九四一年三月	一橋大学経済研究所資料室
			六三	経研資料工作第一六号　支那事変経済戦関係日誌　第二輯	中国	一九四二年一月	静岡大学附属図書館
			六四	極秘　経研資料調第十二号　支那民族資本の経済戦略的考察	中国	一九四一年四月	東京大学経済学部資料室
			六五	秘　経研資料調第二〇号　支那沿岸密貿易の実証的研究	中国	一九四一年六月	国立国会図書館
			六六	秘　経研資料工作第一七号　上海市場ノ再建方策	中国	一九四二年三月	防衛省防衛研究所
Ⅲ　枢軸国	第６回配本	第13巻	六七	極秘　［独逸組］研究項目、分担者、委嘱者の表	ドイツ		福島大学食農学類
			六八	独逸の農産資源力	ドイツ		福島大学食農学類
			六九	極秘　第一部　物的資源力ヨリ見タル独逸ノ抗戦力	ドイツ	一九四〇年一一月	福島大学食農学類
			七〇	抗戦力判断資料第三号（其一）　第一編　物的資源力より見たる独逸の抗戦力	ドイツ	一九四一年一〇月	東京大学経済学部資料室
			七一	秘　抗戦力判断資料第三号（其二）　第二編　人的資源力より見たる独逸の抗戦力	ドイツ	一九四二年二月	東京大学経済学部資料室
			七二	秘　抗戦力判断資料第三号（其三）　第三編　資本力より見たる独逸の抗戦力	ドイツ	一九四二年一月	牧野邦昭所有
		第14巻	七三	秘　抗戦力判断資料第三号（其四）　第四編　生産機構より見たる独逸の抗戦力	ドイツ	一九四二年二月	東京大学経済学部資料室
			七四	秘　抗戦力判断資料第三号（其五）　第五編　配給及び貿易機構より見たる独逸の抗戦力	ドイツ	一九四二年一月	東京大学経済学部資料室
			七五	秘　抗戦力判断資料第三号（其六）　第六編　交通機構より見たる独逸の抗戦力	ドイツ	一九四二年三月	東京大学経済学部資料室
		第15巻	七六	経研資料調第一七号　独逸食糧公的管理の研究（要約篇）―戦時食糧経済の防衛措置―	ドイツ	一九四一年六月	国立公文書館
			七七	経研資料調第一八号　独逸食糧公的管理の研究	ドイツ	一九四一年六月	東京大学経済学図書館
			七八	経研資料調第二一号　独逸の占領地区に於ける通貨工作	ドイツ	一九四一年七月	東京大学経済学部資料室
			七九	極秘　経研報告第三号　独逸経済抗戦力調査	ドイツ	一九四一年七月	静岡大学附属図書館
			八〇	経研資料調第二十八号　独逸戦時に活躍するトツド工作隊	ドイツ	一九四一年一〇月	東京大学経済学部資料室
			八一	経研資料調第三五号　第一次大戦に於ける独逸戦時食糧経済	ドイツ	一九四一年一二月	東京大学経済学部資料室
			八二	秘　経研資料調第六五号　独逸大東亜圏間の相互的経済依存関係の研究―物資交流の視点に於ける―	ドイツ	一九四二年三月	東京大学経済学図書館

配本	巻	資料番号	資料名	分類	発行年月	底本所蔵館
Ⅲ　枢軸国						
第７回配本	第16巻	八三	部外秘　経研資料調第六八号（其一）　独逸に於ける労働統制の立法的研究（上巻）	ドイツ	一九四二年四月	東京大学経済学図書館
		八四	部外秘　経研資料調第六八号（其二）　独逸に於ける労働統制の立法的研究（下巻）	ドイツ	一九四二年四月	東京大学経済学図書館
	第17巻	八五	部外秘　経研資料調第八九号　ナチス独逸に於ける人口並に厚生政策立法の研究	ドイツ	一九四二年一月	昭和館
	第18巻	八六	秘　経研資料調第三三号　伊国経済抗戦力調査	イタリア	一九四一年一二月	国立国会図書館
		八七	経研資料調第八八号　ファシスタイタリアの国家社会機構の研究　第二部　政治編	イタリア	一九四二年一月	東京大学経済学図書館
		八八	経研資料調第二三号　全体主義国家に於ける権利法の研究	独伊	一九四一年七月	東京大学東洋文化研究所
		八九	経研資料調査第一号　貿易額ヨリ見タル我国ノ対外依存状況	日本	一九四〇年九月	東京大学経済学部資料室
		九〇	秘　経研資料調第二四号　日米貿易断交ノ影響ト其ノ対策	日本	一九四一年七月	東京大学経済学図書館
第８回配本	第19巻	九一	経研資料調第三〇号　南方諸地域兵要経済資料	日本	一九四一年一二月	防衛省防衛研究所
		九二	極秘　経研資料調第五一号　占領地幣制確立方策	日本	一九四二年二月	東京大学経済学図書館
		九三	部外秘　経研資料工作第二三号　南方労力対策要綱	日本	一九四二年六月	東京大学東洋文化研究所
		九四	極秘　経研資料調第七九号　昭和十七年度ニ於ケル南方物資流入ニヨル帝国物的国力推移ノ具体的検討	日本	一九四二年六月	防衛省防衛研究所
	第20巻	九五	経研資料調第九〇号ノ一　東亜共栄圏の政治的経済的基本問題研究（上巻）	日本	一九四二年一二月	一橋大学附属図書館
		九六	経研資料調第九〇号ノ二　東亜共栄圏の政治的経済的基本問題研究（下巻）	日本	一九四二年一二月	一橋大学附属図書館
		九七	経研資料調第九一号　大東亜共栄圏の国防地政学	日本	一九四二年一二月	昭和館
		九八	経研資料調第三四号　戦争指導と政治の関係研究	全体	一九四一年一二月	専修大学図書館

※極秘、秘等の表記については、底本とした資料の記載に拠りました。
※収録順は、牧野邦昭と不二出版の判断により分類毎に分けた上で、資料のシリーズ、作成年月日を元に整序しました。
※第五回配本、第六回配本の巻割りに一部変更がございます。
※刊行開始後に発見された資料を資料番号九八として追加収録しました。

『「秋丸機関」関係資料集成』別冊　目次

I 解説

牧野邦昭

『「秋丸機関」関係資料集成』解説

牧野邦昭

一、はじめに

本集成は、東京大学経済学部資料室、防衛省防衛研究所、日本各地の大学図書館などに所蔵されている「秋丸機関」（正式名称は陸軍省戦争経済研究班、対外的名称は陸軍省主計課別班）の諸資料を編集復刻したものである。

秋丸機関は一九三九（昭和一四）年秋から岩畔豪雄陸軍省軍務局軍事課長の発案により設立準備が進められ、秋丸次朗主計中佐（一九四一年一〇月から大佐）を責任者として、一九四〇年前半から一九四二年末まで活動した陸軍省内の経済調査機関である。有沢広巳、中山伊知郎、森田優三、近藤康男、武村忠雄らの経済学者のほか、蠟山政道ら政治学者、佐藤弘ら地理学者、企画院などに所属する官僚、満鉄調査部関係者などを動員し、日本のほかアメリカ、イギリス（植民地を含む）、ソ連、ドイツ、イタリアなど主要国の経済力調査を行った。近年、オンライン上のデータベースの飛躍的な発達により容易に資料の所在の確認や閲覧が行えるようになり、これまで知られていなかった秋丸機関関係資料が数多く見つかり、その多くが本集成として刊行されることになった。

他方で秋丸機関については戦後の有沢広巳の証言のほか、様々な「語り」「評価」が行われ、それによって実態が見えにくくなっていた面もあった。本解説ではまず、先行研究紹介も兼ねながら秋丸機関について行われてきた「語り」「評価」について取り上げ、次いで資料から読み取れる実際の秋丸機関の活動と、現時点における歴史的評価について論じたい。なお、本稿はこれまでの拙著・拙稿[1]と重なる記述があることをお断りしておく。特に注釈の無い情報はこれまでの拙著・拙稿に基づいている。また物故者については原則として敬称を略している。

二、戦後における「秋丸機関」の社会史—語り、評価、先行研究

（一）終戦後から一九六〇年代まで

秋丸機関の中心となっていた有沢広巳は終戦後、吉田茂首相のブレーンとして戦後復興の政策、特に「傾斜生産方式」の立案などで活躍し、それにより注目されるようになる。当時朝日新聞論説委員だった荒垣秀雄は有沢の人物評（一九四七年一月二二日付）の中で「参謀本部《ママ》の嘱託をして軍から金をもらったこともあり、例の国策研究会にも関係していた」と書いており[2]、有沢と陸軍との関係は終戦直後にはある意味では周知の事実として扱われていた。なお荒垣が言及している国策研究会は戦前・戦後のフィクサー的存在であった矢次一夫が主催したシンクタンクであり、有沢は戦時中・戦争直後に国策研究会そして矢次と深い関係があったが[3]、その後の有沢は、自身と国策研究会や矢次との関係について管見の限り言及していない。有沢の戦後の証言は、自分の戦時中の体験をすべて語っていたわけではなく、また後述するように必ずしも正確ではないという点に注意する必要がある。

なお、一九三八年の東京帝国大学経済学部における平賀粛学で辞職し一九四七年に公職追放された田辺忠男が、追放後に執筆しGHQ／SCAP（連合国最高司令官総司令部）に提出したと推測される英文の“THE PETITION OF MY ELIGIBILITY”（私の資格についての請願書）が東大経済学部の同僚であった荒木光太郎の旧蔵資料中に残されている。この中で田辺は、戦前の東大経済学部における派閥争い（大内兵衛を中心とするマルクス経済学グループ、土方成美を中心とする革新派、河合栄治郎を中心とする自由主義グループの間の争い）を説明する中で「大内兵衛は実際には反軍国主義者でも自由主義者でもなく単なる機会主義者である」とし、その根拠として「彼は［第二次人民戦線事件で検挙

され」保釈された後に太平洋戦争中に秋丸大佐の下で陸軍のブレーン・トラストの一人だった」と書いている。(4)これは大内グループだった有沢広巳と大内本人を混同した記述といえるが、有沢らが陸軍に協力していたという事実は前述の荒垣秀雄の指摘のようによく知られており、それに対して有沢がどこかで「弁明」する必要に迫られていたといえる。

秋丸機関関係者が「戦争秘話」という形で自身の体験を語りだすのは終戦から一〇年ほどたった頃である。一九五六年に有沢広巳は毎日新聞社の雑誌『エコノミスト』に回想記を連載し、この中で秋丸機関の顛末（作成した報告書は開戦を決意していた陸軍にとって国策に反するものだったので杉山元参謀総長の命令で焼却されてしまった、東條英機陸相からの厳命だというので秋丸機関を辞めた）を書き、翌一九五七年に自伝『学問と思想と人間と』（毎日新聞社）として刊行している。一方で岩畔豪雄は同じ一九五六年に『週刊読売』増刊『日本の秘密戦』に寄稿した「準備されていた秘密戦」において、陸軍中野学校や陸軍登戸研究所、「石井〝細菌〟部隊」（関東軍第七三一部隊）、総力戦研究所などと並んで秋丸機関（岩畔は「経済戦研究所」と書いている）について簡潔に紹介し、有沢や中山伊知郎などが参加して「これらの学者連中はつぶさに各国の事情を調査し、第二次大戦の遂行に寄与するところが多大であった」と書いている。ただ岩畔は一九四一年三月に渡米して八月に帰国し、直後にまた日本を離れているので、秋丸機関の実際の活動をどれだけ把握していたかは不明である。また中山は一九五八年の篠原三代平ら編『経済の安定と進歩　中山伊知郎博士還暦記念論文集』（東洋経済新報社）の「自作年譜」の昭和一五年の項で秋丸機関に関係したことを述べ、「当時関東学院の教授であった川崎英策君（後戦死）がよく助けてくれた。報告書を二、三提出した。結論は日本の経済力がこれ以上の規模の戦争にはたえ難いということを人口力、物的生産力その他から論証したものであったが、意見は認められたものの採用は結局されなかった」と書いている。(5)

とはいえこれらの情報は当時ほとんど話題にならなかった。戦後、秋丸機関の責任者だった秋丸次朗は「敗軍の将兵を談ぜず」として自分の体験はあまり語らず、(6)秋丸の家族が秋丸機関について知ったのは有沢広巳による『エコノミスト』の連載によってだが、「当時は秋丸家では「こんなことがあったんだね」的な受け止め方しかしなかったし世間でも騒がれなかった」という。(7)

その秋丸次朗は一九六四年になって陸軍経理学校同窓会誌『若松』に「経済戦研究班始末記」を寄稿している。内容は、一九三九年九月に関東軍第四課から陸軍省経理局課員兼軍務局課員に転任して陸軍省に出頭して軍務局軍事課長の岩畔豪雄に着任の挨拶をしたところ、岩畔から「経済謀略機関」の創設の内命を受け、苦労しながらも経理局主計課の上司の協力を得て統計学者を集めて研究を行い、一九四一年七月に報告書が完成したので上層部に報告会を行い、日本とアメリカの国力差は二〇対一と報告したが耳を貸す様子もなく、その後アメリカから帰国した岩畔の持ち帰った報告書をもとに各方面に注意を促したが一二月に対米開戦となり、その後は大本営での仕事に忙殺され、一九四二年一二月にフィリピンの第六師団経理部長として転任することになり秋丸機関は解散した、というものであった。その後の秋丸自身による秋丸機関への言及は基本的にこれを踏襲している。

一方、有沢広巳と共に第二次人民戦線事件で検挙され東大を休職となり、戦後にやはり有沢と共に東大に復帰した脇村義太郎と、作家の石川達三および評論家の久野収との座談会記事「無力だった知識人—戦時体制への屈伏」が一九六五年一〇月に『朝日ジャーナル』第三四六号に掲載された。脇村はこの中で、陸軍が有沢を使おうとしたが一九四一年一〇月にゾルゲ事件が起きたために有沢は辞めたという内容の発言をしている(後述)。戦時中は外務省に勤務していた脇村は有沢から秋丸機関について断片的には聞いていたようであり、このゾルゲ事件との関係も有沢から聞いたものと推測される。なお、この座談会記事は一九七三年の『久野収対話集　戦後の渦の中で　4　戦争からの教訓』(人文書院)に収録されている。

このように秋丸機関に関係した有沢広巳や岩畔豪雄、中山伊知郎、秋丸次朗は一九六〇年代までに自分の経験を一応語っており、脇村義太郎も恐らく有沢から聞いたと考えられる内容を話していたが、それらが注目されることは特になく、報告書が焼却されたと語っていたのは有沢のみであり、秋丸機関についての語り口も固定されたものではなかった。

なお、作家の畠山清行は一九六五年から六六年にかけて『週刊サンケイ』に連載した記事を基に六六年に『陸軍中野学校』（サンケイ新聞出版局）を刊行し、その中で陸軍中野学校一期生の話として、訓練所（中野学校）に来た講師について「民間講師の顔ぶれは記憶していないが、それから二年後の昭和十五年春に、総力戦研究所と経済戦研《ママ》究所ができた。わけても…経済研《ママ》究所の要員には、蠟山政道、有沢広巳、高橋正雄、竹村《ママ》忠雄、大熊信行、名和統一、宮川実、中山伊知郎、木下半治など、錚々たる顔ぶれの学者がそろっていたから、おそらく訓練所のほうにも、そのうちの幾人かは講義に来たのではないかと思う」と書いている[8]。「経済戦研究所」という名称から、これは一九五六年の岩畔豪雄の「準備されていた秘密戦」を基にした記述ではないかと考えられるが、有沢広巳らが陸軍に関わっていたという情報自体は一九六〇年代に入っても『朝日ジャーナル』『週刊サンケイ』といった週刊誌で取り上げられていた。

(二) 一九七〇年代

一九七〇年に中山伊知郎は伊藤隆・中村隆英・原朗各氏を聞き手とする『エコノミスト』の「現代史を創る人びと」のインタビューを受けて秋丸機関での活動に触れている。その内容は、秋丸機関で「日本の戦力は日中戦争の倍の戦争に耐えられるか」という課題に対し研究を行い、結論として「二倍の戦争はできない」という結論を出したとしている[9]。

一九七二年から『中山伊知郎全集』の刊行が開始され、同全集第十集の序言の中で中山伊知郎が秋丸機関への参加に言及した。一方で『中山伊知郎全集』の月報に掲載された中山・有沢広巳と都留重人・赤松要の座談会（一九七一年一〇月七日）で赤松は「洩れ聞いたことがあるのだが、その［秋丸機関の］研究は、アメリカと戦争しても大丈夫だという答申を出したと聞いているが……。」と発言している。中山は赤松に対して日本班の報告の様子を説明し、有沢は「それは逆だ」「（報告書は）ない。全部、秋丸中佐が責任を持って焼いてしまった」と強く断言しているが、有沢は同時に焼却の命令を出したのは「梅津参謀総長」（一九四一年当時の参謀総長は杉山元。梅津美治郎は当時関東軍司令官で参謀総長になるのは一九四四年七月）と言うなど混乱が見られる。赤松は参謀本部ソ連班の委嘱を受けて一九四〇年頃にソ連の経済力測定に参加するなど陸軍との関係もあったので、赤松の発言内容は「陸軍の秋丸機関の報告の受け止め方」として貴重なものである。一方で中山自身は日本班の研究を委嘱されたという形での参加で、刊行された資料は受け取っていても（本集成に収録した一九四二年一二月刊の「経研資料調第九〇号ノ一　東亜共栄圏の政治的経済的基本問題研究（上巻）」（資料九五）、「経研資料調第九〇号ノ二　東亜共栄圏の政治的経済的基本問題研究（下巻）」（資料九六）は一橋大学附属図書館中山伊知郎文庫所蔵）、有沢や武村忠雄のように深く関わっていなかっと考えられ、秋丸機関については日本班の報告にしか言及していない。赤松の発言に対する反応を見る限り、中山は実際にあったことを説明しているだけで、有沢がかなり取り乱しているようにみえる。(10)

一方、秋丸機関日本班に所属した森田優三が日本統計協会の機関誌『統計』一九七二年一一月号に「私の統計遍歴」を連載し、その中で秋丸機関への参加に言及し、「秋丸機関の仕事とその内容については、巷間一部で若干の誤解があるようであるが、実際は日本の戦力について消極的な結論を出していたのである」と書いている。(11)「巷間一部で若干の誤解がある」というのは前年の一九七一年の赤松要の発言を指していると考えられる。中山伊知郎や森田が日本の経済力調査に参加して厳しい評価を出していたのは事実とみられ、そのために赤松の評価を意外だと受け止めたのだろう。

ところで一九七〇年一二月、当時上智大学教授だった三輪公忠氏が宮崎県えびの市を訪れて秋丸次朗の自宅でインタビューを行い、それらを基にして論文「対米決戦へのイメージ」（加藤秀俊・亀井俊介編『日本とアメリカ―相手国のイメージ研究』日本学術振興会、一九七七年所収）で秋丸機関を紹介した。これは初めての学術的な秋丸機関の研究であった。ただ論文の内容は有沢広巳の証言に沿うものであり、インタビューで秋丸が有沢証言についてどのように答えたのかは不明である。ただその一方で三輪氏は秋丸の上司だった遠藤武勝（終戦時陸軍省経理局主計課長）にも電話インタビューをしており、遠藤が秋丸機関の研究について後述するような冷めた評価をしていたことも記録している。三輪氏の論文はそれ以降しばらく唯一の学術的な秋丸機関の研究になり、三輪氏はその後も著書の中で秋丸機関に言及し[12]、『中山伊知郎全集』刊行とともに秋丸機関の存在が研究者の間で知られるようになっていった。

なお、後述するように一九九〇年代に入って秋丸機関の研究を始めた脇村義太郎に対し、秋丸機関の研究に参加した地理学者の新井浩は自分の提出した調査がどうなったのか知らなかったと述べていた[13]。秋丸機関の研究の大半は個別に委嘱した研究をまとめるという形で行われていたので、秋丸機関の資料を執筆した人物は単に「陸軍から依頼された研究を提出した」だけで、それがどのように扱われたのかは新井のように知らなかったとみられる。秋丸機関についての「通説」（陸軍上層部にとって都合の悪い報告を行ったので報告書は全て焼かれてしまった）が有沢広巳の強い主張もあり一九七〇年代に広まることによって、逆に秋丸機関に参加した人物が自分の体験を「捉えなおす」（つまり自分の体験と有沢の証言を混ぜて発言する）ことになり、一九六〇年代までは有沢のみが述べていた「報告書は受け入れられず焼却された」を他の参加者が語るようになったのではないかと考えられる。なお、後述するように秋丸機関は陸軍省と参謀本部の双方に関係する機関であるが所属は陸軍省であるため、参謀総長が陸軍大臣の頭ごなしに陸軍省の研究に焼却命令を出すことはそもそも考えにくい[14]。

一九七九年一月にはＮＨＫ教育テレビ「パーソナル現代史　有沢広巳　戦後経済を語る」（聞き手は有沢広巳門下の中村隆英）が放映され、この中で有沢が秋丸機関に言及した。これが管見の限りテレビで秋丸機関が扱われた最初である。同番組を見た人からの問い合わせもあり秋丸次朗がえびの市の郷土史誌『えびの』第一三号に「大東亜戦争秘話　開戦前後の体験記」を掲載した。内容としては一九六四年の「経済戦研究班始末記」とほぼ同じだが、「自譜」や秋丸機関の写真が掲載されており貴重な資料である。とはいえこの内容はえびの市の郷土史誌に掲載されたこともあり、一般に注目されることは無かった。

（三） 一九八〇年代

一九八二年には陸軍経理学校出身者による若松会から『陸軍経理部よもやま話』が刊行される。この中の座談会で秋丸機関の活動について触れられる一方、秋丸次朗の直接の上官だった遠藤武勝は、「〔秋丸機関の研究の〕結果は、一つには「その科学的、合理的な結果を尊重し、受入れて、戦争指導理念の再検討に資する」というのではなく、戦争意志は別のところで決められ、その遂行上如何なる配慮を加えらるべきか、という極めて戦術的な問題として取扱われたに過ぎなかった」「研究に当った諸学者に於ても、その気配に媚びて、結論としての報告に於て、強く厚いその経済力でも「突き崩し得ないことはあるまい」という意見が加えられた。軍の一つの機関としてのことであったから、そこにある限界があるのは止むを得ないことであったかも知れないが、僕にはちょっと割り切れない気持を持った記憶が今に残っている」と冷めた評価をしている。(15) 一方で秋丸は『陸軍経理部よもやま話』に触発されて一九八三年に陸軍経理学校同窓会誌『若松』に「経済戦研究班後日譚」を掲載した。(16) この秋丸の文章の大筋は一九六四年及び七九年のものと同じだが、秋丸機関創設時に満鉄の小泉吉雄が関わったことを秋丸が明言しており、秋丸からの参加要請を受けた有沢広巳が「マルクス経済学については、経済分析の科学的手段ぐらいに考えているので、いわば生産に対する産業技師と同様である」と答えたなど、貴重な情報を多く含むものである。

一九八三年、『週刊東洋経済』「臨時増刊近経シリーズ」にて東京大学教授の早坂忠が有沢広巳にインタビューを行い、有沢はやはり秋丸機関の報告書について「調査機関にあったものもみんな焼いている。だから、どこにも残っていない」と断言した。一方で一九八七年六月四日に、経済企画庁編『戦後経済復興と経済安定本部』（一九八八年刊）のために元経済企画事務次官の矢野智雄が有沢にインタビューをしているが、この中で有沢は自分から秋丸機関に触れ、「陸軍が月五〇〇円くれた」などとこれまで公の場で語っていなかった事実を明らかにしている。有沢は翌一九八八年の三月七日に死去しており、自分の死期を悟っていたのか、インタビューに対してかなり率直に話している様子が窺える。

有沢広巳の死を受けて、一九八九年に石井和夫・中村隆英・森一久を世話人とする「有沢広巳の昭和史」編纂委員会により『有沢広巳の昭和史』全三巻が刊行された。有沢の自伝『学問と思想と人間と』が復刊され、秋丸次朗の「秋丸機関の顚末」（一九七九年の「大東亜戦争秘話　開戦前後の体験記」とほぼ同じだが写真や自譜は省略）も『回想』に収められた。以後、入手しやすいこれらが秋丸機関の「一次資料」として扱われるようになる。ただそれにより逆に『有沢広巳の昭和史』における有沢と秋丸の回想がそれ以降「通説」となり、秋丸機関のイメージがそれに縛られることになった面は否めない。一九七〇年代に秋丸機関への関心を喚起することになった中山伊知郎による回想も日本班の研究のみに関する回想だったせいか、これ以降はほとんど注目されなくなっていく。

一方、一九八六年二月に武村忠雄は増井健一（慶應義塾大学経済学部・商学部教授、のち商学部長）からのインタビューを受けて、(17)「通説」とはかなり異なる証言をしていた（後述）が、この内容は当時公表されることはなかった。

（四）一九九〇年代

一九九一年八月一五日にNHKスペシャル「御前会議」が放送され、これに秋丸次朗が登場した。そこで秋丸は陸軍上層部への報告についての証言をしているが、その証言は「大体、〔日米の国力差が〕一対二〇というような見当ですかね。我々の調査も、新庄〔健吉主計大佐〕さんの調査も合わせて考えて、そして、その〔大本営〕戦争指導班にいろいろと意見を述べたんですけどね。いる人はみんな居眠りしとったです。聞いていない」というものであった。

一方、有沢広巳は生前に蔵書の多くを一九八七年に中国社会科学院日本研究所に寄贈していたが、脇村義太郎は晩年にワイマール体制期のドイツの研究をしていた有沢に対してワイマール共和国時代のドイツの研究の書物を東京大学へ寄贈するように頼んでおり、脇村と有沢との間に約束ができていた。有沢が一九八八年に死去した後、脇村は有沢夫人にワイマール体制研究のノートやその他の書類も東大経済学部で預からせてほしいと頼んで了承を得ていた。しかし有沢夫人は翌年一月に亡くなったため、遺族と相談の上、残された大部分の書物や資料は東大経済学部に入れられ、その後の整理の際に『英米合作経済抗戦力調査（其二）』（資料五三）が発見された。これを基に一九九一年一二月三日にNHKで「現代ジャーナル　日米開戦五〇年（２）～新発見・秋丸機関報告書―有沢広巳と太平洋戦争」が放送された（ディレクターは片島紀男）。番組の最初の方で登場した中村隆英が、『英米合作経済抗戦力調査（其二）』について有沢も自分が持っていたのは知らなかったのではないかといった解説をする。秋丸次朗に『英米合作経済抗戦力調査（其二）』を見せたところ「違いない」と秋丸機関の報告書であると認める。番組では一九四一年七月に報告書が完成し上層部への報告が行なわれたが、杉山元参謀総長が「国策に反する」として焼却を命じ、秋丸も番組中で「焼いちゃえということになった」と語った。一九四二年に秋丸は南方に左遷される、その後有沢がその経験をもとに立案した傾斜生産方式について、大来佐武郎が登場して戦後復興に役に立ったことを説明する、といった内容であった。これが秋丸機関の知名度および「通説」を一挙に広める結果になったと考えられる。

同じNHKの番組でありながら八月一五日のNHKスペシャルと一二月三日の現代ジャーナルでは秋丸証言のニュアンスがだいぶ異なり、また「現代ジャーナル」の番組構成に色々疑問点があるがここでは三点指摘したい。

①有沢広巳の蔵書中にあった戦時中の資料は『英米合作経済抗戦力調査（其二）』だけではなく、国策研究会で有沢が一九四四年に執筆したと推測される『アメリカ経済戦力の研究』という報告書も同時に見つかっている。現在、東京大学経済学部資料室に所蔵されている有沢資料には、有沢の旧蔵資料が東大に納められた際に戦時中の資料・原稿を整理した紙袋があるが、「1．英米合作経済抗戦力調査（其二）」と書かれた下に「2．アメリカ経済戦力の研究」と書かれており、『アメリカ経済戦力の研究』が『英米合作経済抗戦力調査（其二）』と同じ袋に入れられて整理されていたことがわかる。そして『アメリカ経済戦力の研究』には『英米合作経済抗戦力調査（其二）』が参考文献として挙げられている。つまりこれらの資料を個別に見るのではなく同時に見れば、「現代ジャーナル」で大々的に取り上げられた『英米合作経済抗戦力調査（其二）』が焼却しなければならないようなもの、隠匿しなければならないものではなく、戦時中に参考文献として挙げても特に問題にならないものであったことが理解でき、「報告書がす

べて焼却された」という有沢証言が正確ではないことはすぐわかったはずである。特定の資料を他の資料との関係から総合的に調べるのではなく一部のみを取り出して特定の結論に合うように扱う、というパターンがこれ以降の秋丸機関に関する評価で繰り返されることになる。

②『英米合作経済抗戦力調査（其一）』の内容については一切紹介しておらず、後述するような英米間の輸送船舶の攻撃など具体的な戦略を提言していることは触れていない。

③秋丸次朗に話を聞いているにもかかわらず、有沢広巳の主張した当時の通説に基づくストーリーありき（修正点は報告書の完成が七月という点だけ）で構成されており、ストーリーに合わせて誘導的に秋丸に発言させている印象を受ける。

こうした問題点はありながら、今まで見つかっていなかった秋丸機関の報告書が発見されたというニュースがＮＨＫで報道されたインパクトは大きく、これ以降秋丸機関についての知名度が高まっていく。一九九二年八月二三日に秋丸次朗が死去した際は地元の『宮崎日日新聞』で大々的に報道された。

翌一九九三年、『正論』九月号に、秋丸次朗の実弟の朝稲又次（元えびの市農協長、元宮崎県議）が「日米開戦秘話東条英機に諫言した秋丸機関と有沢広巳」という文章を載せた。この中で朝稲は「秋丸機関の報告会が七月一日にあり、武藤章軍務局長や参謀本部の田中新一作戦部長なども参加した、杉山元参謀総長が焼却を命じ、翌日秋丸は東条英機陸軍大臣に呼ばれて、開戦派が強くなっているので理解してほしいと言われた」などと非常に詳細に記述している。『正論』に掲載された朝稲の元の文章はえびの史談会の郷土史誌『えびの』に掲載されたものであったが、朝稲からこれを直接入手した大分県の佐伯史談会の会員が『佐伯史談』に掲載し、さらにこれが別府大学のリポジトリに掲載され、一時期ネット上で誰でも閲覧できるようになっていた（現在は削除済み）。秋丸の実弟の朝稲が書いたものということで、これを信用して参考文献として秋丸機関を取り上げる書籍も近年に刊行されている。(18)

しかし朝稲又次の文章は事実に基づいたものではなく一種の小説であった。(19)『正論』の朝稲の文章に「秋丸機関の

「秘密研究室」で打ち合わせをする三教授」というキャプションで掲載されていた写真は、一九八九年の『有沢広巳の昭和史』「回想」に掲載された有沢広巳・中山伊知郎・東畑精一が談笑する戦後の写真であり、そのキャプションは「日経経済図書文化賞審査会（東畑、中山、有澤、福田家にて、一九六〇年）」である。このように一九九〇年代前半に、秋丸機関についての情報がかなり尾ひれのついた形でメディアを通じて広まっていくことになる。前述のように増井健一は一九八六年に武村忠雄へのインタビューを行い、それを基にした「ひとりの経済学者の思想と行動　第二次世界大戦と武村忠雄」を一九九五年に書いているが（『近代日本研究』第一二号）、その内容は武村の証言を一九九〇年代初めに急速に広まった秋丸機関の「通説」によりかなり解釈し直したものとなっている。

一方、一九九三年頃から脇村義太郎が秋丸機関の研究を始めた。脇村は古書店などでかなり精力的に資料を集め、また脇村の文章を読んだ新井浩からの情報を紹介して、有沢広巳が秋丸機関の情報をすべて語っていたわけではないこと（経済地理学者の佐藤弘の多大な協力など）[20]、『英米合作経済抗戦力調査（其一）』におけるアメリカの船舶造船量予測を検討して秋丸機関の研究が必ずしも正確ではなかったことを指摘した（後述）。しかしその研究は一九九七年四月一七日の脇村の死で終わることになる。脇村の研究はその後の秋丸機関に関する言及ではほとんど参考にされず、脇村が日本学士院で行った秋丸機関に関する報告などは一九九八年の脇村の遺稿集『わが故郷田辺と学問』（岩波書店）に注釈付きで収められるが、それも関心を集めることは無かった。しかし脇村による最晩年の研究は当時の秋丸機関に関する「通説」に必ずしも捉われない重要な情報を多数含むものであった。

他方で、一九九八年には統計研究会の機関誌『Eco-forum』にて統計研究会創設五〇周年を記念して小特集「統計研究会の草創と秋丸機関」が組まれ、宮川公男氏の序文とともに有沢広巳の『学問と思想と人間と』の抜粋や『有沢広巳の昭和史』に掲載された秋丸次朗の文章が採録される。統計研究会は経済統計整備とそれを用いた経済分析の場を提供し日本の経済学界に大きな影響を与えたが（二〇一八年解散）、有沢・中山伊知郎のほか近藤康男・森田優三らが関わった秋丸機関がその源流として位置づけられ、有沢証言に基づく秋丸機関の「通説」が経済学界で広まっていく。

こうした当時の「通説」に異を唱えたのが斉藤伸義氏であり、斉藤氏は一九九九年に立教大学史学会の『史苑』に研究ノート「アジア太平洋戦争開戦決定過程における「戦争終末」構想に与えた秋丸機関の影響」を掲載した。防衛省防衛研究所所蔵の石井秋穂資料の調査や、『英米合作経済抗戦力調査（其一）』の内容の検討から、秋丸機関の研究が一九四一年一一月一五日に大本営政府連絡会議で承認された「対米英蘭蒋戦争終末促進に関する腹案」に影響を与えたとする「異説」を打ち出した。斉藤氏の研究は『英米合作経済抗戦力調査（其一）』の内容を他の資料（遠藤武勝や石井秋穂の証言など）と合わせて学術的に分析した他の当時としては画期的なものであった。ただ現時点で見ると、『英米合作経済抗戦力調査（其一）』と「対米英蘭蒋戦争終末促進に関する腹案」を直接結びつけた点に問題があり、両者が似ているのは当時の常識だったためとするのがより自然であろう（後述）。また斉藤氏は脇村義太郎の研究は参照していない。

なお、一九九五年には田中宏巳氏が、アメリカ軍により接収された後にアメリカ議会図書館（Library of Congress）に所蔵された旧日本陸海軍関係の資料を調査し、『米議会図書館所蔵占領接収旧陸海軍資料総目録』（東洋書林）を刊行している。その中には秋丸機関（陸軍省主計課別班名義）の資料も含まれている。

（五）二〇〇〇年代以降

秋丸機関の学術的研究は、二〇〇一年五月一九日に前述の斉藤伸義氏が社会経済史学会第七〇回全国大会（上智大学）で「総力戦体制期の経済学者―有澤廣巳と秋丸機関を中心に」という題目で発表して以降はしばらく行われなくなり、「通説」の定着とともにそれに基づいて秋丸機関を紹介することが多くなった[21]。なお筆者が二〇一〇年に『戦時下の経済学者』（中公叢書）を刊行して以降の秋丸機関に関する研究、評価については次章において秋丸機関の実際の活動や評価を論じる中で紹介したい。

三、秋丸機関の活動

(一) 創設

秋丸機関の創設は、一九三九年九月に、岩畔豪雄陸軍省軍事課長が、関東軍第四課から陸軍省経理局課員兼軍務局課員として転任してきた秋丸次朗主計中佐に、ノモンハン事件や第二次世界大戦の勃発を受けて総力戦に備えた「経済謀略機関」の創設を命じたことから始まる。(22)

宮崎県飯野村(現・えびの市)出身の秋丸次朗は一九三二年に陸軍経理学校高等科を卒業後に陸軍省依託学生として東京帝国大学経済学部に入学し、河合栄治郎門下の山田文雄に工業政策を学んだ。一九三五年に東大を卒業した後、満洲国に派遣されて関東軍第四課で満洲産業開発五ヶ年計画の策定に関わるなど満洲国の経済と深く関わり、満鉄経済調査会やその後身の満鉄調査部と密接な関係があり、さらに岸信介や椎名悦三郎、美濃部洋次ら、日本の官庁から満洲国に派遣されていたいわゆる「革新官僚」との人脈も持っていた。(23)「経済謀略機関」を作ろうとしていた岩畔豪雄も一九三二年八月から一九三四年まで関東軍特務部で満洲国の経済を指導し、さらに一九三四年一二月から一年八月まで対満洲国行政を一元化する目的で設置された対満事務局の事務官を務めていた。したがって岩畔が自分の目指す組織を作ろうとする際に参考にしたのが満鉄経済調査会や後身の満鉄調査部、さらに日満財政経済研究会であっただろうことは容易に想像できる。秋丸が関東軍第四課から呼ばれたのは、秋丸自身が満洲国における経済建設に深く関わっていたことに加え、経済関係の官僚とも協力でき、満鉄経済調査会・満鉄調査部のようなシンクタンクを使った調査もできる人員と評価されたからであろう。そして秋丸自身も「秋丸機関」を作っていくにあたり満洲国時代の人脈や手法を使っている。秋丸機関はいわば「陸軍版満鉄調査部」であった。

秋丸次朗の回想では、岩畔豪雄に内命は受けたものの予算も手足となる人員も相談相手もなく途方にくれたが、軍務局軍事課とは予算編成で密接な関係にあった経理局主計課課長の森田親三や、前述の高級課員の遠藤武勝の勧めもあり、退役主計少佐の加藤鉄矢[24]を相談相手として、若干の予算も配当され、事務所を九段にあった偕行社（陸軍将校集会所）の一室に構えて研究班の編成に着手した。後に事務機構も二十数名に達して事務室も狭隘になったので一九四〇年正月早々麹町の銀行の二階を借用して移転して本格的な活動に入った。

さらに秋丸次朗は経済戦の真髄は武力戦と同様に「敵を知り己を知れば百戦殆からず」という孫呉（孫子と呉子）の兵法にあると考え、「敵味方の戦争経済すなわち経済戦力を測定して比較判断する」ため統計学者を集めようとした。一方、関東軍第四課でスタッフとして働き秋丸とも深い関係にあった小泉吉雄は当時内地留学で満鉄東京支社に来て調査室新設の仕事に携わっていたが、その頃陸軍大佐のまま企画院第一部調査官に就任していた秋永月三の要請により一九三九年末に企画院嘱託となっていた。学者メンバーの確保を進めていた秋丸は小泉が東京にいることを知ると、小泉に手足となって働くスタッフの斡旋を依頼した。各界に顔が広かった小泉は翌日すぐに満鉄調査部の神崎誠を連れてきた。東大経済学部で有沢広巳のゼミに所属していた神崎は、有沢が起訴保釈中で休職中（一九三八年の第二次人民戦線事件で大内兵衛、脇村義太郎ら他の労農派マルクス経済学者と共に治安維持法違反容疑で検挙され、その後一九三九年に保釈）なので有沢を起用してはどうかと進言した。東大で有沢の講義を受けたことはあるが直接会ったことのなかった秋丸は早速平服で有沢と虎ノ門の満鉄支社で対面し、「この調査は、軍が世界情勢を判断する基礎資料とするもので、科学的客観的な調査結果が必要なので、学者達の参加を求め、その自由な調査研究に俟つことになりました。是非とも先生のご協力をお願いします」と要請したところ、有沢は「マルクス経済学については、私は経済分析の科学的手段ぐらいに考えているので、いわば生産に対する産業技師と同様である。だが、今起訴保釈中の身分である。それをご承知の上なら、ひとつやりましょう」と答えたという[25]。

一九四一年後半に第二次人民戦線事件第一審のために作成されたとみられる『有澤廣巳治安維持法違反被告事件弁護要旨[26]』において、弁護人の鈴木義男が有沢広巳は「昭和十一年秋頃からは某陸軍大佐や某陸軍少佐の仕事に協力しており」と述べているように、有沢は一九三八年に検挙される前から陸軍に協力していたとみられるので、秋丸次朗からの依頼で陸軍の研究機関に関係することも特別なものとは認識していなかったと思われる。有沢は念のため岩畔豪雄および遠藤武勝にも会ったところ、両者とも科学的客観的調査の必要性を強調したため、最終的に秋丸からの依頼を引き受けることになったというが[27]、岩畔らが有沢の起用を認めたのも以前からの有沢と陸軍との関係を知っていたためとも考えられる。

有沢広巳を主要主査として委嘱した後、中山伊知郎（東京商科大学）を日本班に、宮川実（立教大学、河上肇門下）がソ連班に加わった。中山が参加したのは一九三一年に創設された日本統計学会で有沢と共に発起人だったためと推測される。当時中央大学教授だった沖中恒幸も秋丸機関に加わったが、それは沖中が一九三六年に刊行した『日本経済発展の様相』が有沢らから高く評価されたためであると沖中門下の川口弘（元中央大学学長）は述べている[28]。さらに当時慶應義塾大学経済学部教授だった武村忠雄も秋丸機関に加わる。一九八六年のインタビューで武村は、ドイツに留学した際に第一次世界大戦の際の戦争経済に関する本を大量に集めて持って帰ったところ、「有沢先生が、僕が戦争経済の本をうんと集めて来たということをどこかでだれかに聞かれたらしくて、僕に名指しで手伝ってくれということを言われたわけです」と述べている。有沢自身は「どういうふうに関係者を集めたか、その間のことはよくわからないが」[29]と書いているが、それとは裏腹に実際には秋丸機関の経済学者の選定には中山や沖中、武村の例のように有沢がかなり関わったとみられる。

さらに秋丸次朗は小泉吉雄が参加していた昭和研究会のメンバーの蠟山政道（行政学者）・木下半治（政治学者）らに小泉の紹介で参加を求めた[30]。経済地理学者の佐藤弘（東京商科大学）、農業経済学者の近藤康男（東京帝国大学農学部、当時農林省統計課長を兼任）も昭和研究会に参加していたことがきっかけで秋丸機関に加わることになったと考えられる。

秋丸次朗によれば、こうして有沢広巳を中心とする英米班、武村武雄の独伊班、宮川実のソ連班、中山伊知郎の日本班、蠟山政道および木下半治の国際政治班という体制が整ったとしている。[31] ただし秋丸は「南方班に名和統一氏（元サイゴン駐在の正金銀行員）」と書いているが、これは既に指摘されているように、当時大阪商科大学教授だった名和統一と横浜正金銀行調査次長で東亜研究所にも所属していた名和田政一を混同した記述である。[32]

こうした個別の研究班と共に「謀略的個別調査」のため、「各省の少壮官僚、満鉄調査部の精鋭分子」が集められる。[33]「各省の少壮官僚」はこれまでも名前が出てきた革新官僚らを中心とするもの、さらに「満鉄調査部の精鋭分子」は神崎誠らのことと考えられ、秋丸次朗の満洲国時代の人脈により集められたと考えられる。

このように満洲国や満鉄の人脈を利用して人材を集めた秋丸次朗は研究にあたりやはり満鉄調査部の手法を参考にしようとしていたとみられる。やや時期は後になるが一九四〇年夏に満鉄調査部は中国（蒋介石政権）の抗戦力を分析した『支那抗戦力調査報告』をまとめ、陸軍各部局や各省庁向けに報告会を行っているが、七月一日には東京「麹町宝亭において、午前九時より経済研究班長秋丸中佐よりの懇望に基き懇談会を開き討論を行」っている。[34] 秋丸機関の報告書が『英米合作経済抗戦力調査』、『独逸経済抗戦力調査』という題になっていることから考えても、秋丸機関の調査研究が『支那抗戦力調査報告』に代表される満鉄調査部のそれを参考にしていた可能性は高い。なお「抗戦力」という言葉は日中戦争後に中国側がしばしば自国の強さを示すのに使用し、それを受けて日本でも使われるようになったものである。[35]

一九四〇年六月末現在で海軍省調査課が作成した文書「陸軍秋丸機関ニ関スル件」[36]には陸軍が「将来戦ヲ顧慮シ過般戦争経済研究班ヲ設立」したとしてその業務委嘱者が掲載されており、これまで名前の出てきた中山伊知郎、宮川実、武村忠雄、蠟山政道、沖中恒幸、神崎誠、佐藤弘、近藤康男らのほか、経済学者では、長谷部文雄（同志社大学）、高木寿一（慶應義塾大学）、深見義一（東京商科大学）、大川一司（宇都宮高等農林学校、戦後一橋大学）、森田優三（横浜高等商業学校、戦後一橋大学）、塩野谷九十九（横浜商業専門学校、戦後一橋大学）、小原敬士（横浜商業専門学校、戦後一橋大学）などの名前がある。そのほか企画院（嘱託の八木沢善次）や参謀本部（嘱託の直井武夫）ほか各省庁や業界団体、高橋亀吉が主宰する高橋経済研究所や山崎靖純の主宰する山崎経済研究所の所員、さらに東洋経済新報社で石橋湛山に長く仕え戦後は社長になる村山公三などが業務委嘱者とされている。佐藤、小原のほか国松久弥（上智大学）、新井浩（東亜研究所、戦後東京女子大学）、阿部市五郎（成城高等学校、戦後専修大学）は経済地理学者であり、佐藤の人脈で集められた可能性が大きい。[37]

なお本集成では第一三巻資料六七に「独逸組」の研究項目や分担者、委嘱者の表が収録されている。研究の中心であったはずの有沢広巳の名はこれまで見つかっている資料中には記載されておらず、当初から「陰の人」として扱われていたとみられる。ただしここに記載されている人物と実際に調査報告を執筆している人物は一致していない。中山伊知郎の「われわれはいつもバラバラに作業しておった」という証言[38]からも、個別に委嘱した調査を主査が取りまとめる形で調査が行われていたとみられ、研究所を作って大規模に組織的な活動をしていたわけではない。一九四〇年八月刊行の『**経研資料工作第二号　第一次欧州戦争ニ於ケル主要交戦国経済統制法令輯録**』（**資料九**）は京都帝国大学法学部教授だった石田文次郎の監修により第一次大戦における各国の経済統制法令の収集が行われている。一九四一年一月刊行の『**経研資料工作第五号　第一次大戦に於ける英国の戦時貿易政策**』（**資料二六**）の担当者は京都帝国大学経済学部教授だった谷口吉彦であり、関東以外の経済学者・法学者も関係していたことが窺える。

このように秋丸機関は、いわば陸軍版「満鉄調査部」として多くの学者や官僚などを集めて活動を始め、海軍省調査課「陸軍秋丸機関ニ関スル件」によれば一九三九年一二月の陸軍大臣決裁を経て翌四〇年一月末に設立され、五月にその陣容が整った。目的は「経理局長ノ監督ノ下ニ次期戦争ヲ遂行目標トシ主トシテ経済攻勢ノ見地ヨリ」「戦時戦費工作ニ関スル事項」「戦時特殊経済ニ関スル事項」「其ノ他戦争指導上必要ナル経済ニ関スル事項」を研究することであり、「軍事課、軍務課、主計課、参謀本部第二課及第二部ハ之カ研究ニ協力シ其ノ成果ヲ陸軍大臣ニ報告シ参謀総長ニ通報スルモノトス」とされていた。[39]

(二) 秋丸機関の研究活動

このように研究班の体制が整ったところに新体制運動が起きたこともあり、政財界からは陸軍が経済を掌握しようとしているのではないかという疑念を持たれ、有沢広巳が治安維持法違反容疑で起訴保釈中であったことが検察や右翼によって問題になり、東條英機陸軍大臣からも注意を受けるなどの苦労があったと秋丸次朗は回顧している（有沢は当初から表に出ない扱いだったようであるが待遇は良く、前述のように月給五〇〇円という当時としてはかなりの大金を貰っていた）[40]。秋丸は新体制運動の中心だった陸軍の統制派や革新官僚と近く、新体制運動とそれへの反対運動による秋丸機関への注目を避けるため、「それまでは、研究班の名称を陸軍省戦争経済研究班としていたが、このような疑念を避けるため、陸軍省主計課別班と変名したり、部外には、単に秋丸機関と称してその内容を糊塗するなど苦心が多かった」としている[41]。実際に秋丸機関が刊行した資料の大半は「陸軍省主計課別班」名義であるが、一方で秋丸機関の刊行した資料は「経研資料調」「経研資料訳」といった形で「経研」（経済研究班）が刊行したことがわかるように表記されており、また後述するように「極秘」扱いで上層部向けの報告書として作成された『英米合作経済抗戦力調査』『独逸経済抗戦力調査』は「陸軍省戦争経済研究班」名義で刊行されているため、正式名称は変えずに対外的名称を変えていたと考えられる。秋丸機関参加者の沖中恒幸は一九四一年一二月五日に発行された本の「著者紹介」で「陸軍省経済研究班研究員を兼ぬ」と書いており[42]、あまり目立たないようにできるだけ「陸軍省主計課別班」という名前を使うようにしていたというのが実情とみられる。

なお、一九四一年九月に印刷された「陸軍省各局課業務分担表」（省外秘）では、陸軍省経理局主計課の業務分担について、他の主任者については詳細な業務の記載があるものの、「秋丸主計中佐、川岸主計大尉、武村主計少尉」については「経済研究ニ関スル事項」とだけ記載されており[43]、陸軍省内においても秋丸機関の詳細な活動については伏せられていたとみられる。

秋丸機関の研究が本格的に開始されたのは、秋丸機関に参加した近藤康男旧蔵[44]の陸軍省主計課別班「班報」第一号

（資料五）から判断して一九四〇年夏であり、同年一一月三〇日には基礎調査を終えて、それを基に主要国の経済抗戦力調査の研究報告を行うことが予定されていたとみられる。「班報」では「常ニ客観的ノ実態ヲ把握スルニ努メ主観的ノ観察ニ陥ラザル」ようにするため、「論拠ヲ努メテ計数ニ求メ簡明直裁ニ推論スル」こと、つまり統計など確実な根拠を踏まえて客観的な判断を行い簡潔に推論することが求められており、また「研究ノ重点ヲ常ニ戦時体制下ニ於ケル各国民経済ノ脆弱点ノ究明ニ置ク」ことが要請されていた。そして当時の第二次大戦初期の世界情勢（一九四〇年六月にイタリアが枢軸国側で参戦しフランス降伏、ソ連のバルト三国進駐、八月からイギリス上陸を目指すドイツ軍とイギリス軍の航空戦（バトル・オブ・ブリテン）の激化）を受けて、ソ連、イギリス、アメリカ、ドイツ、そして「東亜共栄圏」の研究の完成が急がれていた（九月五日付**「班報」第二号、資料六**）。

秋丸機関が発行した一九四〇年一二月一日付けの**『経研目年第一号　資料年報』（資料四）**を見ると、国内外の多岐にわたる図書・雑誌・統計類を収集していたことがわかる。経済関係の英語の文献だけを見てもハイエクの『集産主義経済計画論』（*Collectivist Economic Planning*）や『貨幣ナショナリズムと国際的安定』（*Monetary Nationalism and International Stability*）、ロビンズの『戦争の経済的原因』（*The Economic Causes of War*）、ケインズの『戦費調達論』（*How to Pay for the War*）などの書名が見られ、また仮想敵国であるアメリカの統計に関してはアメリカ政府の国勢調査局（U.S. Bureau of the Census）発行の統計資料がかなり収集されていた。さらに『資料年報』には一九四〇年五月から一二月までに秋丸機関が発行した翻訳・報告書の一覧が記載されており、ヨーロッパにおける第二次大戦の推移に関する資料の翻訳や各国の経済事情研究などを行なっていたことが読み取れる。

秋丸機関の分析は基本的にオープンソースを基にしたものであり、「秘」「極秘」扱いとされていてもその内容自体はそれほど秘密とは言い難いものも多かった。本集成では**『経研資料訳第四号　マックス・ウエルナア著　列強の抗戦力』（資料八）**を除き収録していないが、秋丸機関は海外文献の翻訳を「経研資料訳」として多数刊行しており、基本的に海外の情報を大量に収集し、それをまとめる形での研究が行われていた。秋丸機関が参考にしていたとみられる満鉄調査部は「他人の資料をスピーディにまとめるスタイル」であり、それゆえに膨大な「調査実績」をまとめられたと同時に、机上調査が主体であるためにその正確さには問題もあった(45)。統計を用いた机上調査中心だった秋丸機関の研究もこうした問題は免れておらず、秋丸機関の『英米合作経済抗戦力調査』が第一次大戦後の技術進歩(流れ作業や電気溶接工法)を考慮に入れていなかったためにアメリカの造船能力を過小評価していたことを脇村義太郎が指摘している(46)。オープンソースの統計を用いた分析は過去の延長線上での分析になるため、技術進歩など質的な変化が捉えにくく、当時の一流の統計学者を揃えた秋丸機関の研究もその意味で限界があったといえる。

逆にオープンソースを基にした分析であるがゆえに、秋丸機関での研究の大半は公表しても問題視されないものであり、秋丸機関に参加した研究者たちはその研究内容(統計含む)を市販書や雑誌の論説で公表している。神戸商業大学教授だった生島広治郎は多数の統計を含む大部の『大東亜共栄圏綜合貿易年表(47)』を編集して一九四二年中に各国ごとに刊行しているが、これは同年に刊行されている「経研資料調第二九号　大東亜共栄圏綜合貿易年表」とほぼ同一の内容であり(そのため本集成には掲載していない)、その際の序文(一九四一年九月一日付)で「陸軍大佐秋丸次朗殿の御高配」に感謝している(48)。国際政治班に加わった木下半治も一九四二年一一月に刊行された著書の序文で「著者はさきに某機関にあって戦争指導と政治との関係を委嘱せられた。本書はその報告の一つを基礎として一般に公表することの妥当ならざる諸点及び余りに専門的に過ぎる記述並びに資料等々を省き、叙述の様式を通俗化したものである」と書いている(49)。

なお、中山伊知郎によれば秋丸機関では日本の国民所得統計のモデルを求めるためにドイツのワーゲマン(ベルリン景気研究所所長)の研究、ソ連のゴスプラン(国家計画委員会、ソ連の計画経済を指導)、「レオンティエフのアメリカ経済の分析」(産業連関分析)を利用して国民所得の循環をつかもうとしていたという(50)。有沢広巳も「秋丸さんがアメリカのインプット・アウトプットのレオンチェフの報告書をアメリカから取り寄せてくれたんだ。あれが非常に参考になった」と述べている。しかし現在残されている秋丸機関の資料や報告書には産業連関分析を使用した形跡は見られない。実際に利用されたのはレオンチェフの『アメリカ経済の構造（*The Structure of American Economy, 1919-1929*）』（一九四一年）ではなく、一九三九年にアメリカ政府の国家資源委員会（National Resources Committee）がガーディナー・ミーンズの指導下でまとめた『アメリカ経済の構造（*The Structure of the American Economy Part 1. Basic Characteristics*）』（一部にレオンチェフの作成した産業連関表が含まれる）であり、しかも産業連関分析を使って分析したわけではなくそこに記載された数字や経済循環の考え方を参考にした程度だったとみられる。一方、ドイツなどの分析を行った武村忠雄は、各国の生産力及び物資ストックと消費量とを比較して生産力の推移を予測する手法（マルクス経済学の生産力理論とオーストリア学派経済学の景気循環論を基にしたものと考えられる）でかなり正確な予測を行っていた。秋丸機関全体では研究方法は統一されていなかった。

一方、海軍省の「陸軍秋丸機関ニ関スル件」では調査委嘱者の中で「研究班員トシテ研究班ヨリ直接業務ヲ委嘱セルモノ」（中山伊知郎、宮川実、神崎誠、八木沢善次、直井武夫、森田優三、大川一司、小原敬士ら）に○印がつけられており「其他ハ○印ノ者ヲシテ選定セシメシ者ナリ」とされている。さらに「○印中一名ハ左翼前歴ヲ三名ハ左翼傾向ヲ有シアルモ現下ノ処注意ヲ要スベキ動向ナシ[51]」と書かれている。これが誰を指すのかは明確にはわからないが、○印がついている人物には河上肇門下のマルクス経済学者であった宮川、有沢広巳ゼミ出身の満鉄調査部の神崎、企画院嘱託の八木沢、日本共産党入党後に一九二八年の三・一五事件で検挙され転向した経験を持つ直井、そして哲学者の戸坂潤らが参加した唯物論研究会の機関誌『唯物論研究』に寄稿していた小原といった「左翼関係者」とみなされてもおかしくない人物がいた。このように秋丸機関参加者に左翼関係者がいることへの警戒は当初からあり、実際に「資源力」を担当していたアメリカ経済の専門家の小原は唯物論研究会事件と呼応して一九四〇年一一月に検挙され[52]、同様にソ連の経済抗戦力を担当していた直井（当時参謀本部嘱託）も一九四一年二月一八日に企画院事件で検挙されている。さらに一九四一年四月八日にはやはり主要メンバーで食料資源の調査を担当していた企画院嘱託の八木沢が同じく企画院事件で検挙されている[53]。なお秋丸機関と直接関係していたかどうかは不明だが、企画院から一九三八年二月に応召されて陸軍省経理局に主計中尉として勤務していた井口東輔も、一九四一年一月二二日に応召解除の上で検挙されている。(54)

秋丸次朗は満洲国で満鉄経済調査会や革新官僚と共に経済政策立案に取り組んだ経験から思想に関係なく人材を集めたのだろうが、もはや当時の日本ではイデオロギー対立と無関係に研究を行なうことは困難になっており、それが秋丸機関の研究に大きな制約を課すことになったと考えられる。

(三) 太平洋戦争開戦前の研究

①日本経済の研究

日本班の研究は制約の中でも順調に進んだようであり、中山伊知郎の回想によれば一九四〇年の終わり、または一九四一年の初めに東京・九段の偕行社(55)（陸軍将校の集会所）で、秋丸機関の報告会が行なわれた（中山は「向こうはたしか遠藤という主計中将がその中心でした」としているが、これは主計課における秋丸次朗の上官で当時中佐だった遠藤武勝のことであろう）。中山らは、日本は日中戦争の二倍の規模の戦争ができるかという問題について「人力や物的生産力や輸送力やの諸点から、二倍の戦争は不可能だという結論」を説明した。陸軍側から特に批判は無かったようだが、報告会後に「ご苦労さんでした」という形で行われた会食で陸軍側の一人は「戦争というものは、四分くらい勝つ見込みがあったらやるもんだ」と述べ、中山は「あれには、まったくまいったね」と回想している。(56)

秋丸機関日本班の研究内容は「報告書」という形ではまとめられなかったとみられ、そのため具体的にどのような内容だったのかを直接知ることは現時点ではできない。しかし本集成にも収録されている日本関係の資料からは、日本の経済力がアメリカに強く依存していることが読み取れる。一九四〇年九月に出された『**経研資料調第一号　貿易額ヨリ見タル我国ノ対外依存状況**』（資料八九）では貿易統計により日本経済が英米に強く依存していることが指摘されている。一九三九年の段階で日本の輸入は「満支円ブロック」（日満支経済ブロック）からは二三％強に過ぎず、七七％弱は第三国からであった。そして第三国からの輸入のうち八一％強が英米依存であり、しかも「米ブロック」からの輸入が五二％強を占めていた。さらにヨーロッパにおける第二次大戦の勃発によりイギリス経済圏（英帝国）からの輸入が減少した一方でアメリカからの輸入の割合は逆に高まり、日本は一層アメリカに輸入を依存するようになっていた。

一九四一年七月に生島広治郎に委嘱して執筆された『経研資料調第二四号　日米貿易断交ノ影響ト其ノ対策』（資料九〇）では、日米貿易構造は元々「生糸ト綿花トノ交換」が基本であったが、日中戦争以後「各種軍需資材及ビ生産力拡充資材」をアメリカから大量に輸入するようになった結果、輸出品目は従来とあまり変わらない（生糸や蟹・鯖の缶詰など）一方で輸入額は急速に増え、輸入品目にも大きな変化が見られた。一九三九年には対米輸入額の第一位は鉄鋼（二三％）、第二位は石油（一七％）、第三位に綿花（一四％）、第四位は機械とその部品（一四％）であり、「対米輸入品ハ事変以来軍需品ガ其ノ主要部分ヲ占ムルコト」になった。

中山伊知郎が一九四五年に執筆した調査研究動員本部「総第五委員会第一部会報告書」には日本班の研究内容を報告後にまとめたものとみられる「陸軍省主計課別班『帝国経済戦力測定の基本図式』昭和十七年（極秘）」という文献が参考文献として記載されており、また「総第五委員会第一部会報告書」では一九四〇年の日本経済の構造分析が行われていることから、これが秋丸機関日本班の研究成果を基にした分析と考えられる。その分析によれば一九四〇年の時点で日本経済は工業の純原材料供給高の四四％を輸入に依存しており、また生産設備の直接の輸入分は額は少ないもののそれが工業生産の基本となる精密機械によって占められており、日本の工業は輸入に大きく依存していた。(57)

ただしこうした日本経済の現状はよく知られており、秋丸機関以外の経済学者によって昭和天皇にも説明されていた。一九四〇年一〇月八日に昭和天皇は東京帝国大学に行幸して各学部の研究の説明を受けており、経済学部では教授の橋爪明男が「戦時経済に関する研究」を説明している。その内容は大河内一男（戦後東大総長）が中心となって作成したものであった。[58] 橋爪は「軍事費の増加によつて国費の膨張が顕著であり、……国債費の増加は我が国の財政経済にとつて大いなる負担となつてゐる」「軍需産業の拡充によつて我国の工業生産は近年著しい増加を示して来たが、昨年秋頃よりこの傾向が鈍化し始めた」「物資は未だ海外国、殊にアメリカ合衆国に依存するもの多く、今後は大東亜共栄圏の綜合的開発によつて自給化に邁進せねばならぬ」「生計費の昂騰を考慮すれば、農民及び小額所得者を除いて国民の実質収入は却つて低下の傾向にある」「労働力不足は未だ深刻」と、日本経済の置かれた厳しい現状を率直に天皇に説明しており、その内容は新聞上で公表されていた。[59] 秋丸機関の日本経済に関する研究もこうした内容と大きく異なるものではなかったと推測される。

②中間報告『経済戦争の本義』

前述のように恐らく企画院事件などで日本班以外の研究が遅延する中で、「中間報告」として「経済戦」とは何かという一般的な内容を記した秋丸機関の報告書『**経研報告第一号（中間報告）経済戦争の本義**』（**資料一六**）[60]が一九四一年三月に森田親三陸軍省主計課長の例言を付して刊行されており、有沢広巳と秋丸次朗が内容を考え有沢が実際に執筆したものと考えられる。その主要な内容は、一国の「潜在的戦争力」特に経済力の大きさは、その「弱点」、すぐに動員可能な経済力とその動員までにかかる時間、さらに「その国の経済力が戦争力として戦時に如何なる曲線を辿るか」つまり時間が経つにしたがってどのように変化していくか（経済発展するか消耗するだけになるか）によって決まる。そして敵の経済を攻撃するだけでなく自国の経済を守り育成していくことも必要である、というものであった。

「班報」で明確に述べられていたように秋丸機関の研究目的は「各国民経済の脆弱点の究明」にあった。日本や同盟国のドイツの脆弱点を示すことは戦争の無謀さを訴えることになる一方、仮想敵国の英米やソ連の脆弱点を示すことは陸軍の望む所であり、開戦の意志決定にも使えるものであった。

なお『経済戦争の本義』の原案でほとんど内容が同じ『経研報告第一号　経済戦の本質（中間報告案）』（一九四〇

年一二月刊）が国立公文書館つくば分館に所蔵されている。[61] これは二〇一一年に独立行政法人経済産業研究所から国立公文書館に移管された商工政策史資料の中の一つであり、秋丸次朗と共に満洲国の土地制度調査会に参加した革新官僚の美濃部洋次の旧蔵資料である。このことからも秋丸機関と革新官僚との間で関係があったことが窺える。

さらに靖国偕行文庫（偕行社の蔵書が前身）には『経済戦争の本義』の元原稿のコピー（および『経済戦争の本義』自体のコピー）が所蔵されている。[62]

③英米経済の研究

一九四〇年のバトル・オブ・ブリテンの結果ドイツのイギリス上陸作戦は断念される一方、一九四一年前半には地中海を中心にドイツとイギリスの激しい戦いが繰り広げられていた。一方で日本の北部仏印進駐により英米と日本との関係が悪化し、アメリカは一九四〇年一〇月一六日に屑鉄の対日禁輸を決定している。このようにイギリスとアメリカが日本の「敵」となる確率が高まったことから、研究の完成が急がれていた（一九四〇年一〇月二五日付**「班報」第三号、資料七**）。有沢広巳を中心とする英米班の会合は一九四一年一月及び三月に行われている。経済地理学者の佐藤弘に連れられてこの会合に参加した新井浩が戦後に脇村義太郎にした証言によれば、二〇人ほどのグループが出席して佐藤はいつも有沢の隣に座っていたといい、有沢と佐藤が特に資源の研究のとりまとめをしていたようである。新井は一九四〇年一二月まで東亜研究所第一部自然科学班に参加し「南方地域の錫」という報告書を出した関係で有沢の英米班の分科会「米国の戦時資源力」グループに参加し、アメリカの弱点になる可能性のある錫、タングステン、モリブデン、バナジウムの研究を担当した。参加者は三月二五日までに各自の報告を出すように言われ、新井は五日間ほとんど徹夜で仕上げて陸軍経理部に提出したと証言している。[63]

秋丸次朗は「茨の道を歩きつつも、十六年七月になって一応の基礎調査ができ上ったので、省部〔陸軍省および陸軍参謀本部〕首脳者に対する説明会を開くことになった」と回想している。秋丸によればドイツ・イタリアの抗戦力判断を陸軍主計少尉として召集されていた武村忠雄が担当し、次いで秋丸が「蔭の人」有沢広巳に代わり英米の総合戦力判断を説明したという。(64) 大東文化大学図書館所蔵の『経研報告第一号 英米合作経済抗戦力調査（其一）』、『経研報告第二号 英米合作経済抗戦力調査（其二）』（資料五四）、『経研報告第二号別冊 英米合作経済抗戦力戦略点検討表』（資料五五）、および静岡大学附属図書館で見つかった『経研報告第三号 独逸経済抗戦力調査』（資料七九）表紙にはいずれも「昭和十六年七月調製」とあり、他の秋丸機関の刊行した資料がすべて「陸軍省主計課別班」名義であるのに対してそれぞれ正式名称の「陸軍省戦争経済研究班」名で出されているので、これらが秋丸のいう「省部首脳者に対する説明会」の報告書といえる（もっとも、『戦史叢書』や当時の陸軍関係者のメモ、回想で該当するような説明会についての記述が無いことから、説明会自体は秋丸機関単独のものではなく、同じ陸軍省の整備局戦備課の研究などと合わせて「陸軍省の研究」を複数報告するというものであった可能性が高い）。

前述の新井浩の執筆した報告「非鉄金属資源力」を含む一九四二年三月の『抗戦力判断資料第五号（其一） 第一編 物的資源力より見たる米国の抗戦力』（資料四七）の「例言」に「本調査を基礎とせる米国経済抗戦力の綜合判断は当班が既に刊行頒布したる英米合作経済抗戦力調査（二部）並に英米合作経済抗戦力戦略点検討表に明示せる所である」とあり、また一九四二年二月に刊行されている『抗戦力判断資料第三号（其四） 第四編 生産機構より見たる独逸の抗戦力』（資料七三）の序文に「本報告は先に本班の提供せる「独逸経済抗戦力調査」の基礎資料第四編をなすものである」とある。したがって、二部構成の『英米合作経済抗戦力調査』と「英米合作経済抗戦力戦略点検討表」、そして『独逸経済抗戦力調査』が刊行されたこと、さらに「既に刊行頒布したる」「先に本班の提供せる」とあるので一九四二年時点で回収も焼却もされていない状態だったことは明らかである。

なおこれらの「抗戦力判断資料」は「経研報告」つまり正式な報告書である『英米合作経済抗戦力調査』、『独逸経済抗戦力調査』の基礎資料であり、報告書とは別に一九四一年から一九四二年に順次刊行されている。特に一九四二年九月刊行の『抗戦力判断資料第四号（其三） 第三編 資本力より見たる英国の抗戦力』（資料三六）および一九四二年六月刊行の『抗戦力判断資料第五号（其四） 資本力より見たる米国の抗戦力』（資料五〇）はそれぞれイギリス

大東文化大学図書館所蔵資料（筆者撮影）

とアメリカの当時の国民所得推計を用いた分析をしており（コーリン・クラークの研究を基にしながらクズネッツ、ケインズなどの個別の分析を参考にしているが、産業連関表は使われていない）、経済学史の観点からも興味深い内容である。

本集成に収録している『英米合作経済抗戦力調査（其一）』は、前述のように一九八九年に東京大学経済学部に納められた有沢広巳旧蔵資料の調査の過程で見つかったものであり、『英米合作経済抗戦力調査（其二）』は二〇一四年七月に筆者が東京都古書籍商業協同組合が運営する古書データベース「日本の古本屋」で検索したところ、東京都の書店から売られているのを見つけて購入し、[65] 二〇一五年二月に東京大学経済学部資料室に寄贈したものである。一方、『英米合作経済抗戦力戦略点検討表』は二〇二一年七月に筆者が大東文化大学ＯＰＡＣにより大東文化大学図書館に『英米合作経済抗戦力調査（其一）』、『英米合作経済抗戦力調査（其二）』と共に所蔵されているのを見つけて調査を行ったものである。[66] 大東文化大学所蔵の『英米合作経済抗戦力調査（其一）』、『英米合作経済抗戦力調査（其二）』、『英米合作経済抗戦力戦略点検討表』はそれぞれ表紙に極秘「50部ノ内第45號」とあり全部で五〇部作られたことがわかり、また順に「2」「3」「4」と印が押してある。秋丸の証言から英米とドイツの抗戦力判断が同時に行われたと考えられるので、英米やドイツの経済抗戦力全体の要約的な資料が別にあってそこに

「1」と押されて、合わせて配布されたと推測される。秋丸機関の上層部向け報告書は実際に各方面に配布されたこと（そして残されていたこと）が大東文化大学所蔵の資料から明らかになった。

また、大東文化大学所蔵の『英米合作経済抗戦力調査（其二）』、『英米合作経済抗戦力戦略点検討表』には海軍省調査課の所蔵印が押されており、「調査課　16.11.19　接受」とあるので、海軍省調査課には一九四一年一一月一九日に受け入れられたことがわかる。さらに中表紙には「大河内暁男氏寄贈」という印が押されている。(67) 経営史研究者の大河内暁男は東京大学経済学部を定年退職後に大東文化大学経営学部教授を勤めており、その蔵書は二〇〇八年から大東文化大学に寄贈されたが、その蔵書には父の大河内一男の蔵書だったと推定されるものが多く含まれている。(68) 大河内一男は海軍省調査課の高木惣吉大佐が組織した海軍のブレーン・トラストの一員であったため、現在大東文化大学に所蔵されている『英米合作経済抗戦力調査（其二）』、『英米合作経済抗戦力戦略点検討表』は海軍省調査課に入った後で大河内一男が所有していたものと考えられる。大河内一男と有沢広巳は東大経済学部で同僚であり、海軍のブレーン・トラストに中山伊知郎や武村忠雄など秋丸機関にも参加した人物がいたとはいえ、大河内一男が秋丸機関の活動についてどの程度知っていたかは不明である。

『英米合作経済抗戦力調査（其一）』および『英米合作経済抗戦力調査（其二）』（そして『英米合作経済抗戦力戦略点検討表』）での分析で示されているのは結局のところ「イギリス単独では多くの弱点があるがアメリカは第三国にも多くの物資を提供できるほど余裕がある、ただしアメリカの経済力の発揮には一年から一年半の時間がかかる、英米間の船舶輸送に弱点がある」ということである。『英米合作経済抗戦力調査（其一）』の「第二節　結論」では「英国船舶月平均五十万噸以上の撃沈は、米国の対英援助を無効ならしめるに充分である。蓋し英米合作の造船能力は一九四三年に於いて年六百万噸を多く超えることはないと考えられるからである」とあり、『英米合作経済抗戦力調査（其二）』においても「米国海運の弱点」として、「商船隊の老齢性」のほか「商船隊の速力の低位」「造船能力の不足」

「商船乗組員の質的劣悪性」が挙げられ、そして現時点では英米を合わせても船舶輸送力が不足がちであるとされている。『英米合作経済抗戦力戦略点検討表』においては各項目で関係するものが線で結ばれているが、最も多くの線が集中しているのはやはり船舶の項目である。秋丸機関が明示した英米の「弱点」は英米間の船舶輸送であった。有沢広巳は英米班の報告について「英米間の輸送の問題についても、アメリカの造船能力はUボートによる商船の撃沈トン数をはるかに上回るだけの増加が十分可能である……といった内容のものであった」と述べているが、[69] ある意味では語るに落ちたものである。

その弱点をさらに効果的にするために『英米合作経済抗戦力調査（其一）』「判決」において「英国抗戦力ノ外郭ヲナス属領・植民地」に戦線を拡大していくことが述べられているがそこはあくまでも副次的なものである。仮に日本が南方に進出して東南アジアのイギリス植民地を奪い、インド洋に進出してインドやオーストラリアとイギリス本国との連絡を絶ったとしても、第三国に対しても供給余力があるほど巨大な経済力を持つアメリカがそれに代わって厖大な軍需物資をイギリスに支援すればイギリスは屈服しない。イギリスが屈服するとすればアメリカからの援助物資を載せた船舶が大西洋で大量に撃沈される場合であるが、地理的に考えてそれは日本ではなくドイツとイタリアの攻撃によるしかない。

つまりドイツとイタリアが大西洋においてどれだけ英米の船舶を撃沈できるか、言いかえればドイツとイタリア、特にドイツの経済抗戦力がどれくらいの大きさなのかによってイギリスが降伏するかしないかが決まる。したがって、秋丸機関の報告書で重要なのは実は『独逸経済抗戦力調査』ということになる。

④ドイツとイタリア経済の研究

『独逸経済抗戦力調査』は、筆者が二〇一三年一月にCiNii Booksで検索して静岡大学附属図書館に所蔵されていることを見つけ、閲覧および調査を行った。[70] 大東文化大学所蔵資料のような「50部ノ内第〇號」といった印や組織の所蔵印は押されていないため、秋丸機関に関係した個人が所有していたものと推測される。静岡大学附属図書館のご厚意で来歴を調べていただいたところ、一九七五年に古書店を経て当時の静岡大学人文学部法経資料室に入ったことがわかっている。

『独逸経済抗戦力調査』の執筆者が独逸班の担当者だった武村忠雄であることは、同報告書本文の一部と同じ文章が武村の著書『戦争経済学入門』（慶應出版社、一九四三年一月）にあり、またその分析手法や主張が武村の当時の論文と同じことから確実であると考えられる。『独逸経済抗戦力調査』の分析手法はシンプルであり、現在入手可能な労働力・資源と組織力による生産力、それと過去に輸入されたり生産されたストックとを合わせて現在の経済抗戦力を求めている。さらに資源の消費量と生産される資源量・占領地から得られる資源量とを比較することによってドイツの将来の経済抗戦力を予測している。つまり単純化すれば生産量・ストックと消費量とを比較してその差によって経済抗戦力の推移予測を行っている。

『独逸経済抗戦力調査』の「判決一」では「独ソ開戦前の国際情勢を前提する限り、独逸の経済抗戦力は本年（一九一《ママ》四年）一杯を最高点とし、四二年より次第に低下せざるを得ず」と、現時点（一九四一年七月）でドイツの経済抗戦力が限界に達していることが最初から指摘されている。「判決二」は「独逸は今後対英米長期戦に堪え得る為にはソ連の生産力を利用することが絶対に必要である。従つて独軍部が予定する如く、対ソ戦が二ヶ月間位の短期戦で終了し、直ちにソ連の生産力利用が可能となるか、それとも長期戦となり、その利用が短期間（二、三ヶ月後から）になし得ざるか否かによつて、今次大戦の運命も決定さる」と独ソ戦が短期で終結するか否かが重要である（つまり長期化すればドイツは敗北する）ことを示し、「判決三」では「ソ連生産力の利用に成功するも、未だ自給態勢が完成するものに非ず。南阿への進出と東亜貿易の再開、維持を必要とす」とされている。ドイツがソ連からの供給だけでは足りないマンガンや石綿など、さらに銅やクロム鉱を手に入れるためには「南阿」（南アフリカ）まで進出しなければならない。

このようにドイツの国力の限界を冷静に指摘している『独逸経済抗戦力調査』だが、日本のとるべき方向についてはかなり具体的な提案をしている。「東亜」はドイツの不足するタングステン、錫、ゴム、植物油を供給することができる。ヨーロッパと「東亜」の貿易を回復するためにはドイツがスエズ運河を確保し、日本がシンガポールを占領してインド洋連絡を再開しなければならない。日本はドイツを助けるため（そして同じ同盟を結ぶドイツに対し強い立場に立つため）、また独ソ開戦によって一層強化される連合国の包囲を突破するため、ドイツと共にソ連と戦う北進（消耗戦争）ではなく、資源を獲得するために南進（生産戦争、資源戦争）すべきという具体的な提案をしている。当時の秋丸次朗や武村忠雄の論説を読む限り両者は南進に賛成しており、また南進を主張して参謀本部（北進）と対立していた陸軍省軍務局と秋丸機関との関係が強かったので、こうした提案が加えられたと考えられる。

なおドイツに関する個別研究には、食糧政策に関する研究『**経研資料調第十八号　独逸食糧公的管理の研究**』（**資料七七**）や、占領地で行っていた通貨工作に関する資料『**経研資料調第二一号　独逸の占領地区に於ける通貨工作**』（**資料七八**）、占領地で破壊された施設を修復する部隊について扱った『**経研資料調第二八号　独逸戦時に活躍するトツド工作隊**』（**資料八〇**）など、ドイツの占領政策に関する資料も見られる。同盟国のドイツの政策が日本の政策の参考にされていたことが伺える。

イタリアに関しては「報告」ではなく資料という形で、陸軍省主計課別班名義の『**経研資料調第三十三号　伊国経済抗戦力調査**』（**資料八六**）が一九四一年一二月に刊行されている。例言では外務省調査部第二課の協力を得たとされているが、イタリアは戦力が限界に達しており今後は下降する可能性が高いという分析がされている。

⑤その他の国の研究

秋丸機関の設立の直接の要因はノモンハン事件であり、仮想敵国のソ連の研究も重視されていた。海軍省が作成した「陸軍秋丸機関ニ関スル件」では一九四〇年六月末の時点で「蘇国経済抗戦力」という研究項目と担当者（直井武夫ら）が決まっていたが、にもかかわらず秋丸機関の「ソ連経済抗戦力判断研究計画」（『**ソ連経済抗戦力判断研究関係書綴**』所収、**資料五六**）は一九四一年二月二八日に作成されており、五月をめどに完成する予定になっていた。ソ連の経済抗戦力を担当していた直井（当時参謀本部嘱託）が一九四一年一月一八日に企画院事件で検挙されてしまったため、ソ連経済抗戦力の研究は一からやり直すことになったと推測される。これが完成して『経研資料調第七十二号　蘇連邦経済力調査』（資料五九）が陸軍省主計課別班名義で刊行されるのは開戦後の一九四二年五月のことである。

ソ連に関する開戦前の研究で注目されるのは一九四一年八月に刊行されている『経研資料工作第十三号　極東ソ領占領後の通貨・経済工作案』（資料五七）である。秋丸機関は北進（対ソ開戦）に批判的な陸軍省軍務局との関係が深かったが、陸軍の調査機関として参謀本部の主張する北進に関する研究も行っていたことがわかる。また北進してソ連東部を占領した際にどのような経済政策を行うべきかなど、具体的な研究がされていたことも興味深い。なお「経研資料工作」として刊行されている資料の性質と「経研資料調」として刊行されている資料の性質との区別は不明確である。

中国に関する研究はそれほど多くなく、一九四〇年の「班報　第二号」における世界情勢の分析においても「東亜共栄圏」の研究の重要性は謳われていても中国そのものには言及されていない。『支那抗戦力調査』を刊行するなど既に多くの中国研究を行っており秋丸機関とも深い関係のあった満鉄調査部との役割分担がされていたためとも考えられる。それでも太平洋戦争開戦前には『経研資料調第十二号　支那民族資本の経済戦略的考察』（資料六四）、『経研資料調第二〇号　支那沿岸密貿易の実証的研究』（資料六五）といった中国に関する資料が刊行されている。特に後者は「例言」で、東亜研究所に委嘱して平瀬巳之吉が執筆したものであるとあり、「対重慶経済封鎖の強化徹底を益々必要とする現況に於て敵側の逆手を封するための一資料として参考に供す」とされている。

⑥開戦前の研究の評価

秋丸機関の太平洋戦争開戦前の研究内容はこれまで説明したように多岐に渡るため、そこから統一的な見解を見出すことは難しい。秋丸機関は一九四一年四月には対米開戦を見据えた資料といえる『経研資料訳第四十九号　比律賓に於ける主要港湾』（「『United states coast pilot Philippino Island（比律賓航海案内書）』（米国政府発行）より抜粋、摘訳したもの」とある）を刊行しており、対米開戦への準備も早くからしていたことが分かる。

また、上層部向けの報告書から、秋丸機関が一九四一年夏以降の日本の方針について何を主張したかったのかも必ずしも明確ではない。『英米合作経済抗戦力調査』からはドイツ・イタリアの経済抗戦力次第でイギリスを屈服させられるが、一方で『独逸経済抗戦力調査』ではドイツの経済抗戦力には限界があることが示されている。したがってこれらを総合すれば、アメリカは論外としてイギリスを屈服させることもできないためイギリス・アメリカと戦っても勝てないということになる。一方で、アメリカの経済動員に時間がかかっている間に、ドイツが短期間でソ連に勝利できればドイツの経済抗戦力は強化され、アメリカとイギリスの間を輸送する船舶を多数撃沈していけるので、イギリスをアメリカの経済動員が完了する前に屈服させられる可能性がある、ということも論理的にはいえる。つまり「長期戦になればアメリカの経済動員により日本もドイツも勝利の機会は無い」ことを明示している一方で、「独ソ戦が短期で終われば少なくともイギリスに勝つことはできるかも知れない」という見方を示しているともいえる。秋丸機関の研究は何とでも解釈できるものであった。

一九七〇年代から二〇〇〇年代までに広がった通説は、有沢の回想に従って、秋丸機関が強調したかったのは特にアメリカと日本との国力の差による対米開戦の無謀さだった（それゆえに対米開戦を決意していた陸軍上層部には都合の悪いものだったので報告書は焼却された）というものであった。こうした通説から『英米合作経済抗戦力調査（其二）』が発見されても、その「判決」において英米特にアメリカの経済抗戦力の大きさを指摘している部分のみが強調されてきた。

一方、『英米合作経済抗戦力調査（其一）』の「判決」の部分で提案されている「イギリスと植民地との連絡を絶つ」という内容が一九四一年一一月に大本営政府連絡会議で承認された「対米英蘭蒋戦争終末促進に関する腹案」に影響を与えたという前述の斉藤伸義氏の異説をそれと明示せず利用して、「陸軍は秋丸機関の研究に基づき合理的な研究により勝てる戦略を立てていた、大東亜戦争は勝てる戦争だった、それが山本五十六による真珠湾攻撃により台無しにされてしまった、歴史の真実を取り戻さなければならない」といった形の主張が二〇一〇年代に入り登場している。[71]

二〇〇〇年代までの通説も二〇一〇年代に入り一部で主張されている異説も、有沢証言や『英米合作経済抗戦力調査（其一）』の一部の記述のみを取り上げて論じていることに問題があるが、共通の前提に立っている点に最大の問題があると考えられる。つまり二つの説は「外部に広がることを恐れて焼却しなければいけない不都合なもの」か、「戦争の戦略立案に大いに役立つ機密情報」かという正反対の評価ではあるものの、共に「秋丸機関の報告書に書かれた情報は当時の一流の経済学者が分析した高度なもので、一般には知られていなかった」という前提に立っている。筆者は、秋丸機関がまとめた報告書は公開情報に基づき当時の「常識」に沿った形でまとめられたものであり、ただそれを様々な統計を使って裏付けていたため、既に決められている方針を正当化する際に「根拠」として利用された、というのが一番自然な評価であると考えている。

『英米合作経済抗戦力調査』、『独逸経済抗戦力調査』の基本的な内容は、秋丸次朗が『陸軍主計団記事』、武村忠雄が『改造』などの総合雑誌で既に論じており、[72]秘密とは言えず公表しても問題にならないものであった。秋丸機関の報告書で論じられている「戦略」についても、ドイツの潜水艦がイギリスの艦船を大西洋やインド洋で盛んに攻撃しており多くのイギリスの商船が撃沈されていること、ドイツとイタリアがギリシャを占領しスエズに向かって進撃していることは日本でも新聞や雑誌で盛んに報じられていたため、「日本が東南アジアのイギリス植民地を奪って国力を強化しさらにインド洋に進出し、同盟国のドイツとイタリアが地中海を制圧すれば日独伊の連携が強化されると同時にイギリスは植民地との連絡が絶たれ弱体化する。そしてドイツとイタリアがイギリス本国を潜水艦で封鎖すればイギリスは屈伏する」というのは、当時誰でも思いつく戦略だった。

こうした当時の「常識」をまとめたものが前述の「対米英蘭蔣戦争終末促進に関する腹案」だったが、それは結局のところ日本の取るべき「戦略」というよりも、「天皇の御下問に奉答するのが狙いに過ぎなかったとも認められ、これによって、国家の戦争指導が律せられたとは、いい難いものであ」り、[73] 合理的に研究されたものではないただの「官僚的作文」[74] であった。当時の常識的な内容や願望をまとめただけの「対米英蘭蒋戦争終末促進に関する腹案」を軍務局軍務課高級課員の石井秋穂らが作文する際に、秋丸機関の報告書が資料として都合のいい部分だけ（ドイツの抗戦力の限界などを無視して）「つまみ食い」されて使われた可能性は否定できないが、逆に言えばそれだけの話といえる。

なお筆者は現時点において、秋丸機関の研究成果のうち国策に何らかの影響を与えたものがあったとすれば、日本の経済力に関する研究ではなかったかと考えている。前述のように中山伊知郎は日本の国力について厳しい評価を上層部にしたと証言しており、現在残されており本集成に納められている秋丸機関の日本に関する調査結果はいずれも悲観的なものである。こうした日本の国力に関する悲観的な見方は陸軍内で共通のものであった。一九四〇年冬に参謀本部は陸軍省整備局戦備課に対して、一九四一年春季の対英米開戦を想定して物的国力の検討を要求した。これに対し戦備課は一九四一年一月一八日に「短期戦（二年以内）であって対ソ戦を回避し得れば、対南方武力行使は概ね可能である。但しその後の帝国国力は弾発力を欠き、対米英長期戦遂行に大なる危険を伴うに至るであろう」と回答している。戦備課長の岡田菊三郎大佐は三月二五日にやはり物的国力判断を参謀総長らに説明しており、その内容は「物的国力は開戦後第一年に八〇―七五％に低下し、第二年はそれよりさらに低下（七〇―六五％）する、船舶消耗が造船で補われるとしても、南方の経済処理には多大の不安が残る」という悲観的なものであった。[75]

問題は、秋丸機関その他の研究が数多く示していた「日本の国力の限界」という事実と、「開戦して南方の資源を確保する」という方針は対立的ではなかったことにある。アメリカは南部仏印進駐への対応として一九四一年七月二五日に在米日本資産を凍結し、八月一日には日本に対する石油輸出を停止した。武村忠雄は一九八六年のインタビューの中で、秋丸機関での研究でドイツの食料備蓄量から独ソ開戦の時期を予測して当たったと語り、更に次のように証言している。

［一九四一年］六月に応召して七月に、経済戦力より見た日米開戦の時期を判断せよという上層部からの命令があった。このときに僕は、ドイツは食糧で見たけれども、今度は石油で見たのです。日本は石油がほとんどないから、石油の貯蔵量がその戦争経済力を決定する、生産力拡充で戦争を継続するというのはうそでありますから、陸海軍を中心にどの程度石油が貯蔵されているかを調査したわけです。ところが、当時陸海軍がけんかしているんだね。お互いに持っている石油の量を発表しないんだよ。しかし、僕は陸軍省にいて［整備局］戦備課のデータをもらってわかっている。同時に、たまたま僕は海軍省の調査課の顧問をしていたんです。［中略］そういうことで、僕は幸い海軍の石油のデータもつかむことができた。そこから逆算すると、日本の経済戦力は一年以内なんだね。昭和十六年七月以降戦争をしないままにずるずると十七年までいくと、シナ事変その他で石油をどんどん消耗してしまう。そして、十七年に入ってから開戦しようものなら、半年持つかどうかわからない。だから、一つのチャンスは昭和十六年の十二月に開戦して十七年中に休戦に持っていければあるいは日本は名誉ある和平ができるかもしれない。そこで、開戦の時は昭和十六年十二月をもってすべしという答申を出しているのですよ。そうしたら、そのとおりになった。

武村忠雄の証言から同じ陸軍省内の秋丸機関（経理局主計課）と整備局戦備課が情報共有を行っていたことが裏付けられる。その戦備課は七月に東條英機陸軍大臣から一一月一日開戦を前提として再度物的国力判断を求められた。正確には北方武力行使、南方武力行使、重慶攻略（独ソ戦によりソ連の脅威が軽減したことから蔣介石政権の根拠地の重慶を攻略して日中戦争に決着をつけるべきという意見もあった）、現状維持の四想定を考え、それぞれの場合の物的国力推移の検討を求めたものであった。

岡田菊三郎戦備課長は八月六日に参謀本部部課長、翌七日に杉山元参謀総長に物的国力判断を説明報告しており、戦備課と秋丸機関が情報を共有していたことを考えると、戦備課の説明の際に秋丸機関の報告も「陸軍省の研究」として同時に行われた可能性がある。戦備課の判断はまず船舶については北方武力行使・重慶攻略・現状維持の場合は問題ないものの、南方武力行使の場合は陸軍と海軍の民間船舶の徴用により民需用船腹は作戦開始当初一三〇万総トンに落ち込み、六か月後に陸軍側の解庸によって増加するが、一三〇万総トン程度に落ちた状態で輸送できる物資の量は製鋼原料と米は所要量の八〇％、石炭、肥料、大豆、各種鉱石類、綿花、塩などは四〇％、その他は一〇％となり、「斯くては国民が生きて行けぬ」。したがって南方作戦においては陸海軍の船舶の徴用を合計三〇〇万総トン程度に抑えることが「絶対必要である」。つまり船舶の問題から言えば南方武力行使はリスクが高いことが示されている。

一方で北方武力行使の場合は消耗が大きいので反転して南進することは困難だが、南方武力行使の場合はその後北進しても、不足はあっても一九四五年以降石油の自給が可能となるため、「北方をやり次で南方をやるよりも、南方をやり次で北方をやる方が安全率大なり」。重慶攻略の場合はその後の北進や南進は燃料消費の点から困難であり、現状維持の場合は航空燃料は一九四三―四四年は何とかなるものの自動車燃料は困難になる。そのため石油問題については「油だけにて云えば南方をやるのがよし」という結論であった(76)。

つまり戦備課の判断は船舶の問題から言えば南進には否定的、石油の問題からは南進に肯定的と言えた。こうした分析はこれまで紹介した秋丸機関の報告書や武村忠雄の証言（消耗の面から北進には否定的、資源獲得の面から南進に肯定的）とは整合的である。こうした戦備課の一九四一年八月の国力判断について、軍務課高級課員だった石井秋穂は「戦をやれば不可能でもない」と感じた。もちろん苦しいと思った。誰も同じだっただろう」と回想している(77)。

戦備課の報告と秋丸機関の報告は、同時に行われたかどうかは別としてほぼ同じ時期に出されているので、それを合わせれば陸軍の軍人は「戦をやれば不可能でもない」と感じ、それが赤松要が聞いたという「その［秋丸機関の］研究は、アメリカと戦争しても大丈夫だという答申を出した」という受け止め方になったと考えられる。

ただしこうした情報と認識自体はやはり秘密のものではなかった。アメリカの対日経済制裁は日本の新聞でも大々的に取り上げられており、日本の石油備蓄量は一年から一年半程度という情報も、アメリカのノックス海軍長官談という形で間接的に報道されていた。[78] 武村忠雄は『日本評論』一九四一年九月号（八月一九日印刷納本）に慶應義塾大学教授として「日米関係今後の見透」という論説を書いてアメリカの経済制裁について詳しく説明し、その結論を以下のように結んでいる。

この重要戦略物資に対する米の圧力に我国は如何なる程度抗し得るか。特に我国は如何なる程石油を貯蔵してゐるであらうか。勿論その数量は軍事機密であつて吾々の知る所ではない。然し仮りにノツクス海軍長官が八月二日記者団との会見で発表した推測、即ち「日本は大体に於て一年や一年半徹底的な戦時消費をやつても困らぬだけの石油、ガソリンの戦備貯蔵を持つてゐる」と云ふ推測が正しいとすれば、我国はこの一年乃至一年半の間に石油資源の確保と、その開発、精製その輸送施設とを完成する必要に迫られてゐる訳である。従つて米の出方によつて重大決意をなす可き時期が身近に迫りつつあることを自覚しなければならぬ。（八月十日記）[79]

日本の石油備蓄はあと一年から一年半しかないという正確かつ悲観的なデータがあったことが、逆に「一つのチャンス」に賭けて「重大決意」、つまり対米開戦して石油を確保しなければならないという思考につながったことがわかる。

現在残されている報告書や遠藤武勝、武村忠雄の証言を踏まえれば、秋丸機関の報告は対米開戦についてその困難さを指摘しつつも開戦自体は否定しないものであり、秋丸機関関係者の意図は別として、経済制裁により追い込まれた状態になる中で、このままでは資源が無くなるという指摘とわずかな勝利の可能性の部分が開戦の材料として利用された、というのが実際のところであろう。

なお、企画院調査課が一九四一年一二月に刊行した『外情関係作成資料目録　甲第一号』[80] は各省や民間研究機関から企画院に提出された資料の目録であり、そのうち陸軍省から一九四〇年四月から四一年九月までに提出された資料の大半は秋丸機関の「経研資料調」および「経研資料訳」となっている。この目録には現在所在が確認されていない資料も多く含まれており、当時の秋丸機関の研究活動を知る手がかりとなるものである。

(四) ゾルゲ事件と太平洋戦争開戦後の研究

秋丸次朗は回想で、秋丸機関による上層部への報告後、軍事課長として秋丸機関の設立を命じ、その後渡米して日米交渉に加わっていた岩畔豪雄が「現地で入手した米国の経済調査報告」を携えてアメリカから帰国し、その内容は「日米戦力の綜合判断を一〇乃至二〇対一程度と断定していて、われわれの調査結果と符節を合することが明らかとなった。そこで、和平推進派の岩畔大佐に進言して、一六年八月中下旬にかけて、政府・大本営連絡会議に対して委細説明して、開戦に対して慎重なる考慮を促した」と書いている。(81) 岩畔が帰国した際に携えてきた「米国の経済調査報告」は、岩畔と同時にアメリカに渡った新庄健吉主計大佐が作成したものであった。新庄の報告書自体は発見されていないが、その抜粋は岩畔が自身の関与した日米交渉に関する回想の中で紹介されている。(82) 一九四一年八月一五日に帰国した岩畔は陸軍省、参謀本部、宮中における政府大本営情報交換会で帰朝報告を行ったが、直後に南部仏印に進駐する近衛歩兵第五連隊長への赴任を命令され日本を去っている。(83)

有沢広巳は「九月末」に報告書が完成し「一〇月」に報告会があってその内容が国策に反するとして報告書が回収・焼却され、有沢も秋丸機関を離れたと述べているが、これは事実と異なると思われる。現在残されている上層部向け報告書にはすべて「昭和十六年七月調製」とあり、秋丸次朗や武村忠雄の証言を踏まえれば上層部への報告は遅くとも八月半ばまでに行われ、内容も特に問題視されなかったために上層部に配布された報告書が現在まで残されていると考えるのが自然である。そして有沢が秋丸機関を離れることになった理由も報告の内容とは関係のないものだったとみられる。

脇村義太郎は、一九六五年の『朝日ジャーナル』誌上での石川達三および久野収との座談会で、第二次人民戦線事件で有沢広巳と共に逮捕・保釈された後、陸軍が有沢を使い、脇村自身は海軍省からブレーン組織の人選を相談され、その後外務省嘱託となったことを述べた後、一九四一年一〇月にゾルゲ事件が起こったために「東条内閣は尾崎秀実をつかまえると同時に、治安維持法で処罰を受けたもの、ならびにいま係争中のものを、政府ならびに大政翼賛会に入れてはならないという決定をした。それで有沢君なんかやめたわけです」と証言している。[84]実際、一九四一年九月から一〇月にかけてゾルゲを中心とする「国際諜報団」が検挙されるので（九月二七日北林トモ逮捕、一〇月一〇日宮城与徳逮捕、一四日尾崎秀実逮捕、一八日ゾルゲら逮捕）、ゾルゲ事件が表面化した時期と、有沢証言における「九月末」に報告書が完成し「一〇月」に報告会があって報告書が回収され焼却されたという時期が重なっている。

秋丸機関に左翼関係者がいることへの警戒は当初から行われており、実際に関係者が企画院事件で検挙されるなどして、秋丸機関の左翼関係者への警戒は一層強まっていたと考えられる。それに加え、有沢広巳がドイツ留学時代に多くの経済学者その他の知識人（東大医学部助教授でドイツ共産党日本語部に所属し、その後ソ連に亡命して一九三七年に粛清された国崎定洞ら）と交流したことはすでに司法当局によって知られており、有沢は一九二九―三二年に共産主義に基づき反帝国主義を訴えベルリンで活動した「ベルリン反帝グループ」の一員だったとみなされていた。この情報は二八年春には日本に帰国していた有沢をそのグループに加えるなど、かなり誇張された不正確なものであったが、[85]こうした有沢の過去の左翼経歴に関する情報と、有沢が第二次人民戦線事件で治安維持法違反容疑で検挙され保釈中であったという事実とがあれば、日本の情報がソ連に流れていたことが明らかになったゾルゲ事件が起きれば真っ先に有沢が陸軍の秋丸機関から追放されるのは当然のことであった。これに加え、ゾルゲに陸軍から大量の情報が流れていたことが、陸軍の関係する仕事から左翼関係者を一掃しなければならない原因となったといえる。[86]ゾルゲ事件の取り調べの結果、表面的には陸軍は直接関係ないということになったが、秋丸機関としては、一〇月に起きたゾルゲ事件への対応として有沢を「切る」と共に、問題になりそうなデータの載った一部の資料を回収することになり、それが「都合の悪い報告書の焼却」という話になったと推測される。

有沢広巳はこのようにゾルゲ事件で秋丸機関を離れたとみられる一方で、秋丸次朗は一九四一年一〇月一五日に昇進して陸軍主計大佐に任ぜられると共に大本営野戦経理長官部部員を秋丸機関と兼務することになる[87]（野戦経理長官部は大本営兵站総監部に含まれ、長官は陸軍省経理局長の栗橋保正であり、秋丸は唯一の大佐[88]）。

一九四一年一二月（例言の日付は一一月）には「東亜共栄圏に包括せらるべき南方諸地域に於ける英米の経済戦略的地位を検討し以つて我が対南方方策の参考資料たらしむる目的の下に」東南アジア諸地域の資源についての解説や経済統計を詳細に記した『経研資料調第三〇号　南方諸地域兵要経済資料』（資料九一）が刊行されており、秋丸機関では東南アジア占領のための準備も進められていた。太平洋戦争の勃発について秋丸次朗は「運命の大東亜戦争は、大河の欲するところこのような阻止の動き［秋丸機関の報告会や岩畔豪雄の持参した報告書］も空しく遂に勃発した」と書いている一方、「経済戦の本命はこれからであった」と続けている[89]。秋丸としては負けることが確実な戦争をすることには否定的だったものの、軍人として任務を全うしようと考えていたとみられる。

しかし開戦後の秋丸次朗は大本営野戦経理長官部での業務に忙殺されることになる。南方の占領地が広がるにつれて食糧の補給継続の任務（実務は陸軍省経理局、企画推進は大本営が担う）の重要性が高まっていった。秋丸は一九四二年三月に大本営野戦経理長官に随行して南方戦線視察のために出張するなど[90]、大本営での補給業務に追われるようになる。

このように大本営での仕事が中心になった秋丸次朗に代わって秋丸機関を運営していたのは武村忠雄であったと考えられる。一九四二年一〇月分の臨時軍事費特別会計出納計算書では「陸軍省経済研究班」の分任官は武村となっており[91]、一九四二年に入ると秋丸機関は実質的に「武村機関」となっていたと考えられる。

武村忠雄は一九四二年四月、大本営船舶課長に赴任した荒尾興功（終戦時陸軍省軍務局軍事課長）や同課参謀の嬉野通軌らと共に「主として船舶輸送の見地よりの戦力の推移」の研究を同年初夏まで行った。その研究の結論は「船舶輸送を以て作戦を行いつつ、近代戦に必要なる戦略物資を輸送し得る限界は、昭和十九年晩秋の候」というものだった。研究結果を踏まえて荒尾は嬉野を伴って杉山元参謀総長に「目下の戦況は、花々しく見えますが、昭和十九年末頃までに、光栄ある戦争の終結を求めて頂き度い」旨意見を開陳し、大本営戦争指導班にも強く要望している。(92) 杉山は一九四三年春には講和を考えるようになっており、この武村らの研究に基づく要望が影響を与えた可能性もある。

この研究の一部が一九四二年六月に刊行された『**経研資料調第七九号　昭和十七年度ニ於ケル南方物資流入ニヨル帝国物的国力推移ノ具体的検討**』(**資料九四**)であると推測される。「例言」では「南方圏確保後ニ於ケル我国物的国力増強ノテンポト、英米、殊ニ米国ノ物的国力増強ノテンポ…トヲ対比スル時、依然トシテ長期戦ヨリモ短期戦ヲ以ツテ、我国ニ有利ナリト断ゼザルヲ得ヌ」とされている。その理由は「判決」において、「南方ヨリノ物資流入ニヨル帝国物的生産力ハ昭和十七年度ニ於テハ急激ナル増大ヲ期待シ得ズ」「船舶ノ不足ハ全体トシテ可輸入物資ノ僅カニ五分ノ一見当ヲ獲得シ得ルニスギズ、コノ点ヨリ見テ生産力ノ基礎的増強ハ十分ニ期待シ得ナイト云ハネバナラヌ」、つまり船舶不足により南方の資源を日本に運べず、国内生産力強化に必要な物資が不足しているため、アメリカの国力増強のペースを考慮すれば日本は短期戦をせざるを得ない(=長期戦になれば勝てない)ことを明示している。本集成に収録されている防衛省防衛研究所所蔵の原本は「軍事課長」印が押されていることから当時の陸軍省軍務局軍事課長だった西浦進の所蔵だったと考えられ、(93) 西浦のものとみられる「船ガ足ラヌ」などの赤字の書き込みが行われている。秋丸機関が太平洋戦争開戦後も正確な分析をしており、それが陸軍幹部にも読まれていたことが分かる貴重な資料である。

(五) 秋丸機関の解散

秋丸次朗は「十七年夏から南太平洋方面の連合軍の反攻が本格化し、ガダルカナル島の攻防に戦勢不利となり、これに対する軍需補給に忙殺され、経済戦略などに手が廻らなくなり、研究機関も遂に閉鎖の已む無きに至ったのである」(94) と回想している。秋丸が大本営での仕事に忙殺されて秋丸機関の活動ができなくなったことは事実だと思われるが、秋丸は一九四二年七月に陸軍大学校教官を兼務しており、それから間もない一二月にフィリピン派遣第一六師団経理部長となっている[95]ので、秋丸機関の閉鎖と秋丸のフィリピン行きはやや唐突な印象を受ける。

有沢広巳は「経済《マ》調査《マ》班はその〔報告会〕後二、三ヶ月は存続していたが、そのうち廃止になった。もう太平洋戦争がはじまって、秋丸中佐も第一線の経理部隊長としてハルマヘラあたりにとばされたという話だった」[96]と書いている。報告書が原因となって秋丸機関が廃止され秋丸次朗も左遷されたとも読める内容であるが、秋丸機関は一九四一年夏の報告書作成と上層部への報告会後も一九四二年末まで様々な資料を刊行しており、秋丸自身も一九四一年一〇月に大佐に昇進して大本営に勤務したり総力戦研究所に関与したりしている（蛇足ながら、秋丸はハルマヘラ島と同じモルッカ諸島のアンボン島とセラム島で勤務するがハルマヘラ島には滞在していない）。秋丸と共に上層部への報告を行った武村忠雄が一九四三年以降も陸軍省に勤務しながら多彩な活動をしていることから考えても、有沢の回想は不正確で、秋丸機関の一九四二年末の解散と秋丸のフィリピン行が一九四一年夏の秋丸機関の報告内容と関係ないことはほぼ確実である。筆者は、直接的には満鉄調査部事件が起きて秋丸を含む元関東軍関係者の人事異動が行われたこと、そして秋丸機関の位置づけが変化していたことが解散の理由と考えている。

一九四二年九月二一日、秋丸機関創設時に大きな役割を果し、その後満洲国に戻っていた小泉吉雄ら満鉄調査部関係者が満洲国治安維持法違反容疑で関東憲兵隊に検挙される（満鉄調査部事件）[97]。関東憲兵司令部が一九四四年に刊行した資料では、小泉は「マルクス主義観点よりの農村協同組合運動」を進めるため、「軍の支持に依り之〔合作社運動〕を擁護維持せしめる企図」の下に「関東軍某参謀」に働きかけて「之が運動の伸張を図った」とされている[98]。この「関東軍某参謀」は秋丸次朗のことであり、実際に小泉は関東軍憲兵隊に提出した手記の中で「秋丸少佐より農業部門の取纏めをなすことを命ぜられたり」「秋丸少佐の命に従い「組合設立に付き研究するものとす」との意味の文を挿入せり」などと秋丸の名前を何度も挙げている[99]。実際には小泉がその後起訴猶予になったように満鉄調査部事件は関東憲兵隊のフレーム・アップ（でっち上げ）でしかなかったが、前述の企画院事件・ゾルゲ事件があった上にさらに満鉄調査部事件が起きたため、特に小泉と関係のあった秋丸および秋丸機関が問題視されるようになったと考えられる。

また小泉吉雄の戦後の回想によれば、小泉が満鉄調査部事件で検挙された際、関東軍第四課で小泉を使った秋永月三（当時企画院第一部長）はわざわざ満洲国の首都の新京まで来て小泉のために釈明をしたという。秋永はその後一九四三年五月に第一七軍参謀長に補せられてブーゲンビル島に赴任しているが、[100]小泉はこの秋永の「左遷」は、自分のために釈明したことが東條英機首相の機嫌を損ねたためではないかとしている。[101]この秋永の一九四三年五月のブーゲンビル島への「左遷」と合わせて考えると、一九四二年末の秋丸機関の解散と秋丸次朗のフィリピンへの「左遷」も、結局のところ秋丸機関の研究内容とは無関係の、満鉄調査部事件に伴う陸軍内の関東軍関係者の人事異動であった可能性の方が高い。

こうした問題に加え、公的な研究機関が充実してきたことも秋丸機関の解散の背景にあったと考えられる。内閣総理大臣直属の組織として一九四〇年九月に官制公布された総力戦研究所[102]は一九四一年四月に研究生が入所して本格的に活動を開始した。秋丸次朗は一九四一年一〇月四日に総力戦研究所の所員を兼任しており、[103]総力戦研究所演習審判部（研究生が行なう「演練」の指導・評価を行う側）で昭和一六年度及び一七年度に「経済戦審判部」において「経済戦一般」の演習主務を務めている。[104]また秋丸は一九四二年七月から八月にかけて総力戦研究所で行った講義「経済戦史」の中で、『英米合作経済抗戦力調査』の結論を最新の数字で修正して説明し、「今次大戦に於ける破壊手段としての経済戦は、正に米英経済抗戦力の最大弱点たる船舶輸送力に攻撃重点を向く可きである」と主張している。[105]さらに秋丸は「南方よりの物資補給を確保するための通貨工作、貿易統制、船舶輸送力の強化」を行うことで南方から豊富な資源を得て日本の経済抗戦力を強化していくことを説いている。[106]本集成に所蔵されている秋丸機関の資料の原本には、すでに紹介した『資本力より見たる米国の抗戦力』や一九四二年四月に刊行されているソ連に関する膨大な基礎資料集『**経研資料調第七三号　蘇連邦経済調査資料（下巻）**』（資料六〇）のように、総力戦研究所に寄贈され所蔵されていた資料もみられる。

総力戦研究所のほか、一九四一年五月二九日に日本経済連盟会対外委員会を改組拡大し、満鉄調査部や東亜研究所に次ぐ規模の半官半民のシンクタンクとして発足した財団法人世界経済調査会[107]など、公的な経済調査機関が整備されてきていた。秋丸機関の役割は終わったと判断され、満鉄調査部事件を契機に解散することになったと筆者は考えている。

秋丸機関の解散に当たり、その研究機能は総力戦研究所に移され[108]、貴重な文献図書は陸軍経理学校研究部に保存が委託された[109]。跡始末を終えた秋丸次朗は一九四二年一二月一五日に第一六師団経理部長に補せられ、一九日に東京駅から栗橋保正陸軍省経理局長や秋丸機関関係者ら多数の人々に見送られて出征した[110]。その後の秋丸や武村忠雄については拙著『経済学者たちの日米開戦』および拙稿「戦争と経済学者」を参照していただきたいが、特に秋丸は第一六師団経理部長を一年間務めた後、一九四三年一二月に第一九軍経理部長となりアンボン島（現インドネシア）に着任し、その後隣のセラム島で食糧不足の中で陸軍および海軍の現地自活に苦心した。一九四五年三月に第一九軍司令部は本土決戦要員として解散になり、秋丸は内地帰還を命じられ、知覧などの航空基地から沖縄方面に向けて特攻作戦を行った第六航空軍の経理部長となり終戦を迎えた。恐らく秋丸機関当時の秋丸にとっては、各国の経済抗戦力の研究も当時は「軍務で携わった仕事の一つ」であったと考えられる。しかしその後、このような南方戦線における飢餓や戦争末期の特攻という、ある意味で「日本の国力の極限」を体験したことで、戦後になって「開戦回避」の意味づけがやや強めにされたのかもしれないと筆者は推測している。

なお陸海軍の文書の大多数は一九四五年八月の終戦時に徹底的に焼却されており[111]、特に「国力判断可能の諸資料」などは「必ずなるべく速かに焼却するを要す」とされていた[112]。秋丸機関の作成した資料や報告書の多くも終戦時に焼却されたと考えられる。

四、おわりに

秋丸機関については本稿で扱ったように長年様々な「語り」「評価」が行われてきた。それにより秋丸機関の実態は見えにくくなり、ある意味では秋丸機関を取り上げる論者の都合の良いように使われてきた側面がある。しかし「エビデンス」あるいは「歴史の真実」の重要性を訴えながら、その根拠として実態とかけ離れた秋丸機関像を語るのは矛盾であると言わざるを得ない。

もちろん秋丸機関の資料は現在では散逸して様々な機関に分散されて所蔵されており、秋丸機関の活動の実態を把握することは困難であった。しかし現時点において日本国内で所在が確認できている秋丸機関関係資料のうち海外文献の翻訳を除きほぼ全てを収録し、また海外文献の翻訳を含む現存する秋丸機関作成資料一覧を収録した本集成は、秋丸機関の調査活動の実態を研究していく上で有意義と考えられる。もちろん今後秋丸機関に関する新資料が見つかれば、それに基づき本解説での評価も修正されていく可能性がある。

そしてこの解説でも紹介したように、秋丸機関の資料はオープンソースを収集し、それに分析を加えたものが大半である。それゆえ本集成に含まれる諸資料は秋丸機関とは無関係に活用することもできる。戦時期の日本ではどのような調査が行われていたのか、それらの調査は現在の研究水準から見てどのように評価できるのか、当時の日本における自己認識および対外認識はどのようなものであったのか、を検証していく材料として、本集成は役に立つだろう。

最後になるが、筆者の秋丸機関研究には秋丸信夫氏や荒川憲一氏をはじめ多くの方々にご協力をいただいた。そして今回の資料集成刊行については宮崎智武氏ほか不二出版の方々にお世話になった。深く御礼申し上げる。

注

（1）「独逸経済抗戦力調査（陸軍秋丸機関報告書）―資料解題と「判決」全文」『経済学史研究』第五六巻第一号、二〇一四年七月。「陸軍省主計課別班「班報」（陸軍秋丸機関内部資料）資料解題と全文」『摂南経済研究』第八巻第一―二号、二〇一八年三月、『経済学者たちの日米開戦―秋丸機関「幻の報告書」の謎を解く』新潮選書、二〇一八年。「『英米合作経済抗戦力調査』（陸軍秋丸機関報告書）」『東京大学経済学部資料室年報』第九巻、二〇一九年。『新版　戦時下の経済学者―経済学と総力戦』中公選書、二〇二〇年。「戦争と経済学者―武村忠雄についての覚書」『三田学会雑誌』第一一四巻第四号、二〇二二年一月。

（2）荒垣秀雄「有沢広巳―吉田氏の頭脳的恋人」同『戦後人物論』八雲書店、一九四八年所収、二一七―二一八頁。

（3）陸軍省軍務局長を務めた武藤章ら陸軍統制派の軍人や岸信介ら革新官僚と深い関係にあった矢次一夫は、太平洋戦争開戦後に国策研究会に「大東亜問題調査会」を設置し、それと共に行われた事務局機構改革で総務局長に矢次、調査局長に経済評論家の高橋亀吉が就任し、有沢広巳と鈴木安蔵（憲法学者）に事務局嘱託が委嘱された。有沢の日記によれば有沢は終戦直後、矢次から「協同民主主義」の運動への参加を求められて「一昨年世話にもなっているので」承諾しており、矢次のほか中山伊知郎、大河内一男、市川房枝、東畑精一、高橋亀吉、矢部貞治らと共に一九四五年一一月に国策研究会の後継組織として作られた新政研究会の発起人になっている（矢次一夫『昭和動乱私史　下』経済往来社、一九八五年、二九六頁。有沢広巳「戦後日記」『歴史の中に生きる』『有澤廣巳の昭和史』編纂委員会編・発行、一九八九年所収、五四―五五頁。矢次一夫『わが浪人外交を語る』東洋経済新報社、一九七三年、四―五、三八七―三八八頁）。

（4）名古屋大学大学院経済学研究科附属国際経済政策研究センター資料室「荒木光太郎・光子関係文書」所蔵。同文書は荒木光太郎の門下生で戦後に名古屋大学経済学部に着任した城島国弘が受け入れた「荒木光太郎文書」に、近年に寄贈された文書類を追加したものである。田辺忠男の “THE PETITION OF MY ELIGIBILITY” は近年追加された文書中に含まれている（仮八五）。田辺は一九四七年五月から四八年五月まで公職追放されており（佐々博雄「「田辺忠男関係文書」（国士館大学図書館所蔵）について」『国士舘史学』第一〇号、二〇〇二年）、"A copy presented to the General Committee of Appeal" という書き込みと、最後の"Thanks I was released from the pruge《ママ》 last year under the Government of Asida" を踏まえると（芦田内閣は一九四八年三月―一〇月）、公職追放後の一九四七年中に提出された公職追放解除嘆願書を一九四九年に資料として複写したものと考えられる。「秋丸大佐」に関係する部分の原文は "he was a braintrust of Army, under Colonel Akimaru, during Pacific War after he was released on bail"。

（5）『経済の安定と進歩―中山伊知郎博士還暦記念論文集』東洋経済新報社、一九五八年、一〇三六―一〇三七頁。

（6）秋丸次朗「大東亜戦争秘話　開戦前後の体験記―秋丸機関の顛末を中心に」『えびの』第一三号、一九七九年、九頁。なおこの手記は有沢広巳『回想』『有澤廣巳の昭和史』編纂委員会編・発行、一九八九年に所収されている秋丸次朗「秋丸機関の顛末」とほぼ同じであるが、『回想』には無い秋丸機関の各班の写真や自譜が同時に掲載されている。

（7）秋丸信夫氏（秋丸次朗ご子息）談、二〇一五年三月二〇日。

（8）畠山清行『陸軍中野学校』サンケイ新聞出版局、一九六六年、一七八頁。

（9）中村隆英・伊藤隆・原朗編『現代史を創る人びと　1』毎日新聞社、一九七一年、一九四頁。

（10）座談会「経済政策論の発展過程およびその周辺」『中山伊知郎全集　別巻』講談社、一九七三年所収。

（11）森田優三『統計遍歴私記』日本評論社、一九八〇年、一一一頁

（12）三輪公忠『隠されたペリーの「白旗」　日米関係のイメージ論的・精神史的研究』上智大学、一九九九年など。

（13）脇村義太郎『二十一世紀を望んで―続　回想九十年』岩波書店、一九九三年、一〇―一一頁。

（14）荒川憲一「文献紹介　牧野邦昭『経済学者たちの日米開戦―秋丸機関「幻の報告書」の謎を解く』」『軍事史学』第五五巻第一号、二〇一九年六月。

（15）遠藤武勝「一経理官の回想」若松会編・発行『陸軍経理部よもやま話』一九八二年所収、序に代えて（5）頁。

（16）秋丸次朗「経済戦研究班後日譚―『陸軍経理部よもやま話』追補として」『若松―陸軍経理学校同窓会誌』第一〇七号、一

九八三年一月。

(17) 武村忠雄のインタビュー記録は「武村氏・増井氏　対談速記録」慶應義塾福澤研究センター蔵。ただし福澤研究センターに所蔵されているのは現物のコピーである。表紙に「昭和六十一年二月十四日（金）　麹町区《ママ》平河町「航空政策研究会」の事務室で」と記載されている。

(18) 宮川公男『統計学の日本史』東京大学出版会、二〇一七年。

(19) 秋丸信夫氏談、二〇一五年三月二〇日。

(20) 脇村義太郎『二十一世紀を望んで―続　回想九十年』一〇頁。

(21) 斉藤氏の報告に対して、有沢門下の中村隆英が批判を行った（荒川憲一氏、高橋周氏談）。

(22) 秋丸次朗「大東亜戦争秘話　開戦前後の体験記―秋丸機関の顛末を中心に」九頁。

(23) 秋丸次朗の満洲国での活動の詳細については拙著『経済学者たちの日米開戦』第一章を参照。

(24) 加藤鉄矢は満洲国において関東軍司令部附調査課長を務め、その後満洲国土地局総務処長、地籍整理局総務処長として一九三二年から一九三八年まで満洲国の地籍整理事業計画の中心として活躍した。加藤は秋丸次朗が幹事だった一九三六年の土地制度調査会第一回委員会では幹事長を務めている。

(25) 秋丸次朗「経済戦研究班後日譚―『陸軍経理部よもやま話』追補として」。なお一九三五年に東京帝国大学経済学部を卒業し当時中央物価統制協力会議にいた有沢広巳門下の鮫島龍行（のち総理府統計局、日本統計協会専務理事）は一九七五年の農林省の広報誌『aff』でのインタビュー記事で次のように語っている。学生時代の友人だった神崎誠が鮫島に秋丸機関が経済学者を探しているという話を持ち込んで鮫島が有沢に話をつなぎ、有沢は「学問を技術と考える、思想ではない」という立場で引き受けた。中山伊知郎（日本）、武村忠雄（独）、有沢（英米）、鮫島（カナダ）の各分担が決まり、レポートを杉山提出したのは一九四一年九月で総合見解は「日本の抗戦力は極めてネガティブである」となり、秋丸中佐がレポートを杉山元参謀総長に提出したところ杉山は国策に合わないとして焼却を命じた、原稿料として三〇〇円もらった（寺山義雄『農政

秘史　あの時　この人』楽游書房、一九七九年、八〇頁）。ただし海軍省調査課の「陸軍秋丸機関ニ関スル件」（注36参照）には神崎の名前は出てきても鮫島の名前は無く、秋丸機関の刊行した資料や関係者の回想にも管見の限り鮫島の名前は出てこない。秋丸機関ではイギリスを大英帝国として扱ってカナダを含めた研究をしているので、鮫島の語る「カナダ班」のような分担があったのかは疑問が残る。鮫島はカナダに関するレポートは書いたのであろうが主要メンバーではなかったことは明らかであり、鮫島が語った内容がどこまで正しいのか、どこまで自分の体験に基づいているのかは不明である。

(26) 同志社大学人文科学研究所および国立国会図書館憲政資料室「海野晋吉文書」所蔵。なおこの資料については我妻栄編集代表『日本政治裁判史録　昭和・後』第一法規出版、一九七〇年、二九七頁で簡単に紹介されている。

(27) 有沢広巳『学問と思想と人間と』『有澤廣巳の昭和史』編纂委員会編・発行、一九八九年、一六二頁。

(28) 座談会「実証分析を踏まえた「沖中金融論」を確立」『月刊金融ジャーナル』第二二巻第一四号、一九八一年一一月。

(29) 有沢広巳『学問と思想と人間と』一六二頁。

(30) 秋丸次朗「経済戦研究班後日譚―『陸軍経理部よもやま話』追補として」五頁。

(31) 秋丸次朗「大東亜戦争秘話　開戦前後の体験記―秋丸機関の顛末を中心に」一二頁。

(32) 脇村義太郎『わが故郷田辺と学問』岩波書店、一九九八年、二三二―二三三頁。

(33) 秋丸次朗「大東亜戦争秘話　開戦前後の体験記―秋丸機関の顛末を中心に」一二頁。

(34) 『支那抗戦力調査報告―満鉄調査部編』三一書房、一九七〇年、九五頁。

(35) 松村高夫・柳沢遊・江田憲治編『満鉄の調査と研究―その「神話」と実像』青木書店、二〇〇八年。

(36) 「陸軍秋丸機関ニ関スル件」一九四〇年、土井章監修・大久保達正ほか編『昭和社会経済史料集成　第十巻　海軍省資料（10）』大東文化大学東洋研究所、一九八五年所収。

(37) 柴田陽一氏の御教示による。

(38) 中村隆英・伊藤隆・原朗編『現代史を創る人びと　1』毎日新聞社、一九七一年、一九四頁。

(39)「陸軍秋丸機関ニ関スル件」九六頁。
(40)有沢広巳(聞き手・矢野智雄)「戦後日本経済の再建」『歴史の中に生きる』『有澤廣巳の昭和史』編纂委員会編・発行、九三頁。
(41)秋丸次朗「大東亜戦争秘話　開戦前後の体験記―秋丸機関の顛末を中心に」一一頁。
(42)沖中恒幸『金融国防論』ダイヤモンド社、一九四一年。
(43)「陸軍省各局課業務分担表」(昭和一六年九月)(JACAR: Ref. C13071013000)
(44)陸軍省主計課別班「班報」を含む近藤康男の旧蔵資料は近藤が館長を務めた農文協図書館に納められ、同図書館の閉鎖後、福島大学食農学類に移管された(林薫平「福島大学食農学類における旧農文協図書館・近藤康男文庫の継承と活用に向けて―戦間・戦中・戦後・高度成長期を貫く〝近藤農政学〟の視座と福島県農村の震災復興への示唆」『農業史研究』第五六号、二〇二二年三月)。
(45)平山勉「満鉄調査の慣習的方法―統計調査を中心として」松村高夫・柳沢遊・江田憲治『満鉄の調査と研究―その「神話」と実像』所収。
(46)脇村義太郎「学者と戦争」『日本学士院紀要』第五二巻第三号、一九九八年三月、一五四―一五五頁。
(47)『大東亜共栄圏綜合貿易年表』は近年の研究でも注目されている(荒木一視「『大東亞共榮圏綜合貿易年表』からみた一九三〇年代後半の中国の食料貿易」『立命館食科学研究』第七号、二〇二二年四月、同「一九三〇年代後半の東アジアの穀物貿易―『大東亜共栄圏綜合貿易年表』からみた多国間・多地域間貿易と食料安全保障」『立命館地理学』第三五号、二〇二三年)。
(48)生島広治郎責任編集・東亜貿易政策研究会編『大東亜共栄圏綜合貿易年表(世界各国ブロック別)〔Ⅰ〕泰国』有斐閣、一九四二年、序五頁。
(49)木下半治『戦争と政治』昭和書房、一九四二年、序五頁。

(50) 座談会「経済政策論の発展過程およびその周辺」六四―六五頁。

(51)「陸軍秋丸機関ニ関スル件」一〇五頁。

(52) 岡田俊裕『日本地理学人物事典　近代編2』原書房、二〇一一年、二五三頁及び『季報・唯物論研究』編集部編『証言・唯物論研究会事件と天皇制』新泉社、一九八九年、一一七頁。

(53) 我妻栄編集代表『日本政治裁判史録　昭和・後』四〇八頁。

(54) 我妻栄編集代表『日本政治裁判史録　昭和・後』四〇六頁。

(55) 中山は日本の経済力の報告をした時期について、「昭和十五年の終わりごろだったと思う」（座談会「経済政策論の発展過程およびその周辺」『中山伊知郎全集　別巻』六二頁）また「たしか昭和十六年の初め」（「第十集への序文」『中山伊知郎全集第十集』講談社、一九七三年、一頁）と述べている。

(56) 座談会「経済政策論の発展過程およびその周辺」『中山伊知郎全集　別巻』六二頁。

(57)「総第五委員会第一部会報告書」は現在、大学では東京大学社会科学研究所図書室と一橋大学附属図書館に所蔵されており、東大社研所蔵のものは電子化されてオンラインで公開されている（https://library.iss.u-tokyo.ac.jp/collection/d00/jump/650651185.html）。またアジア歴史資料センターでも公開されている（JACAR Ref. A16110021800）。

(58) 東京大学経済学部編・発行『東京大学経済学部五十年史』一九七六年、七三四頁。

(59)「戦時経済の実相　橋爪教授が御説明」『朝日新聞』一九四〇年一〇月九日夕刊。

(60) 防衛省防衛研究所に所蔵され本集成に収録されている『経済戦争の本義』は、秋丸機関に参加した家永正明の遺品から発見され同研究所に寄贈されたものである。家永は陸軍省経理局主計課嘱託であった（JACAR Ref. C13071014300）。家永のご子息の家永正彦氏によると、家永正明が秋丸機関に参加したのは鈴木武（陸軍大将の鈴木孝雄の長男）の誘いによるものであった。家永正明が朝鮮総督府にいた際に鈴木武が朝鮮総督府農林局に勤務しており、ともに大学時代陸上競技をしていたので親しくなった。鈴木武が岡田啓介内閣で拓務大臣秘書官として対満事務局を創設し、満洲産業五か年計画にも関わったことで秋丸次朗とも関係ができ、秋丸機関を創設する際に鈴木武から家永正明に話が来て秋丸機関に参加することになったという。当時は軍人として入ると六〇円程度しかもらえないが、嘱託として入ると月二〇〇円もらえたので、純粋に仕事として秋丸機関に参加したとみられる。家永正明は早稲田大学では法学部で経済のことは詳しくなかったので、秋丸機関に参加していた当時は家に資料を持ち帰って勉強していた。週一回陸軍省に行くときは軍服姿で、それ以外は背広だった。朝鮮に残していた家永正明の母が死去した際、特務機関ということで、軍人に交じって背広姿の家永正明と正彦氏と正彦氏の妹が満洲に向かう陸軍の軍用機に乗せてもらった。秋丸は対米開戦の際に食糧の問題を一番心配していたという。また家永正明は武村忠雄について、陸軍の軍服を着て海軍に出入りし、しかも慶應の教授で、頭も良いので、非常に不思議がっていたという（以上、家永正彦氏談、二〇一八年一一月二三日）。なお『経済戦争の本義』現物は他には早稲田大学中央図書館およびアメリカ議会図書館に所蔵されている。

(61) 本資料については牧野邦昭「『経済戦の本質』（陸軍秋丸機関中間報告案）―資料解題と「要旨」全文」『摂南経済研究』第六巻第一・二号、二〇一六年三月でも紹介している。

(62) これは東京大学出版会名誉顧問を務め『有澤廣巳の昭和史』編集委員会世話人だった石井和夫氏（二〇二二年死去）が偕行社図書室に寄贈したものである（『偕行』一九九三年五月号七〇頁「入手図書紹介　三月」および同一九九四年六月号六一頁「入手図書紹介　四月」）。石井氏は陸軍航空士官学校六〇期生で、靖国偕行文庫の開設に同期生会幹事の一人として関与して陸軍関係資料の収集にあたっていた。有沢広巳が死去した後の東大への蔵書の寄贈についても中村隆英と協力して整理し、秋丸機関関係の資料は一つの箱にまとめて入っていたという。秋丸機関のことは有沢から時々話を聞いており、戦後になってから有沢や秋丸次朗を中心にいわば同窓会のような会合が持たれていたという。有沢夫人の話では「未決保釈中のことで、休職処置の東大の給料では暮らしていけなかったところへ陸軍の手当てが出て大いに助かった」ということだった。有沢も「レオンチェフの本など英米経済の資料をふんだんに集めてくれて非常に勉強になった」と懐かしんでいたという（以上、石井和夫氏から筆者への書簡、二〇一五年）。なお、現在東大に所蔵されている有沢資料中には、『経済戦争の本義』

および元原稿は確認されていない。

(63) 脇村義太郎『二十一世紀を望んで―続　回想九十年』一〇頁。

(64) 秋丸次朗「大東亜戦争秘話　開戦前後の体験記―秋丸機関の顛末を中心に」一三頁。

(65) 牧野邦昭「『英米合作経済抗戦力調査（其一）』（陸軍秋丸機関報告書）―資料解題」『摂南経済研究』第五巻第一・二号、二〇一五年三月。

(66) 調査の際に中村宗悦氏（大東文化大学経済学部）のご協力を得た。

(67) 大東文化大学図書館編・発行『大東文化大学図書館所蔵　大河内暁男文庫目録　I―1』（二〇一三年）に『英米合作経済抗戦力調査（其一）』、『英米合作経済抗戦力調査（其二）』、『英米合作経済抗戦力戦略点検討表』が記載されている（三二四頁）。

(68) 柴田善雅「大河内文庫創設の思い出」https://www.daito.ac.jp/research/library/file/file_research_achievement02.pdf

(69) 有沢広巳『学問と思想と人間と』一六四頁。

(70) 牧野邦昭「陸軍秋丸機関の活動とその評価」『季報唯物論研究』第一二三号、二〇一三年、同「『独逸経済抗戦力調査』（陸軍秋丸機関報告書）―資料解題と「判決」全文」。

(71) 林千勝『日米開戦　陸軍の勝算』祥伝社新書、二〇一五年。茂木弘道『大東亜戦争　日本は「勝利の方程式」を持っていた！』ハート出版、二〇一八年。

(72) 『独逸経済抗戦力調査』の内容は、武村忠雄が『改造』昭和一六年七月時局版（六月二六日印刷納本、七月二日発行）で執筆している論説「独ソ開戦と日米関係」とほとんど同じである。

(73) 原四郎『大戦略なき開戦―旧大本営陸軍部一幕僚の回想』原書房、一九八七年、二九〇頁。

(74) 保科善四郎『大東亜戦争秘史―失われた和平工作』原書房、一九七五年、一一〇頁。

(75) 塩崎弘明「対米英開戦と物的国力判断」近代日本研究会編『年報近代日本研究九　戦時経済』山川出版社、一九八七年所収。

(76)防衛庁防衛研修所戦史室『戦史叢書　大本営陸軍部大東亜戦争開戦経緯〈4〉』朝雲新聞社、一九七四年、四七五―四七九頁。
(77)『戦史叢書　大本営陸軍部大東亜戦争開戦経緯〈4〉』四七九頁。
(78)「日本の石油貯蔵　一年半分は存在　ノックス長官の言明」『朝日新聞』一九四一年八月四日朝刊一面。
(79)武村忠雄「日米関係今後の見透」『日本評論』一九四一年九月号、一四三頁。
(80)企画院総裁官房調査課『外協目録　第一号　外情関係作成資料目録　甲第一号』一九四一年一二月（国立公文書館デジタルアーカイブ　https://www.digital.archives.go.jp/img/1257118）。なお『外情関係作成資料目録　甲第一号』の「例言」には「作成資料中秘扱の分は本目録より除き之を別冊とした。是は配布先等に付、当該資料作成機関の諒解を要するからである。目録記号甲は普通扱、乙は秘扱の分を示す」とあるが、現時点でこの「別冊」の現存は確認できていない。
(81)秋丸次朗「大東亜戦争秘話　開戦前後の体験記―秋丸機関の顛末を中心に」一三頁。
(82)岩畔豪雄『昭和陸軍謀略秘史』日本経済新聞出版社、二〇一五年、三二九頁。
(83)岩畔豪雄『昭和陸軍謀略秘史』三三二―三三七頁。
(84)座談会「無力だった知識人―戦時体制への屈伏」七七頁（『久野収対話集　戦後の渦の中で4　戦争からの教訓』人文書院、一九七三年、二二二頁）。
(85)加藤哲郎『国境を越えるユートピア―国民国家のエルゴロジー』平凡社ライブラリー、二〇〇二年、八八―九三頁。
(86)松崎昭一「ゾルゲと尾崎のはざま」NHK取材班・下斗米伸夫『国際スパイゾルゲの真実』角川文庫、一九九五年所収、二七七―二八六頁。
(87)秋丸次朗「自譜」『えびの』第一三号、一九七九年、一七頁。
(88)防衛庁防衛研修所戦史室『戦史叢書　大本営陸軍部〈3〉―昭和十七年四月まで』朝雲新聞社、一九七〇年、六二二頁。
(89)秋丸次朗「大東亜戦争秘話　開戦前後の体験記―秋丸機関の顛末を中心に」一三頁。

(90) 秋丸次朗「自譜」一七頁。
(91) JACAR Ref. C14010181100。
(92) 松下芳男編『山紫に水清し―仙台陸軍幼年学校史』仙幼会、一九七三年、六九三頁。
(93) 防衛研究所に本資料を寄贈した荒川憲一氏の指摘による。
(94) 秋丸次朗「大東亜戦争秘話　開戦前後の体験記―秋丸機関の顛末を中心に」一三頁。
(95) 秋丸次朗「自譜」一八頁。
(96) 有沢広巳『学問と思想と人間と』一六五頁。
(97) 松村高夫・柳沢遊・江田憲治編『満鉄の調査と研究　その「神話」と実像』。
(98) 関東軍憲兵司令部編『在満日系共産主義運動（《満洲共産主義運動叢書》第三巻）』極東研究所出版会、一九六九年、二〇八―二〇九頁。
(99) 小泉吉雄「手記」小林英夫・福井紳一『満鉄調査部事件の真相』小学館、二〇〇四年所収、二三八―二四〇頁。ただし同書の資料解釈には複数の批判が提起されている。松村高夫・柳沢遊・江田憲治『満鉄の調査と研究―その「神話」と実像』、松村高夫「満鉄調査部弾圧事件（一九四二・四三年）再論」『三田学会雑誌』第一〇四巻第四号、二〇一三年一月や江田憲治・伊藤一彦・柳沢遊「学問的論争と歴史認識―小林英夫・福井紳一氏の「批判」によせて」『社会システム研究』第一七号、二〇一四年などを参照。小泉証言の信憑性については「石堂清倫氏に聴く」『東京帝大新人会研究ノート　第一六号』慶應義塾大学法学部政治学科中村勝範研究会、一九九四年、一五一頁も参照。
(100) 伊藤隆「秋永月三研究覚書」同『昭和期の政治［続］』山川出版社、一九九三年所収、二三一―二三二頁。なお秋永月三はその後病気で重症になり一九四三年一〇月に内地に帰還、その後軍需監督官や総合計画局長官を務めている。
(101) 小泉吉雄『愚かな者の歩み―ある満鉄社員の手記』一五六―一五七頁。
(102) 総力戦研究所については栗屋憲太郎・中村陵『総力戦研究所関係資料集　解説・総目次』不二出版、二〇一六年を参照。

(103) 秋丸次朗「大東亜戦争秘話　開戦前後の体験記―秋丸機関の顛末を中心に」一七頁。
(104) 市川新「総力戦研究所ゲーミングと英米合作経済抗戦力調査シミュレーションの接点」『流通経済大学論集』第四〇巻第四号、二〇〇六年三月、二八―二九頁。
(105) 『昭和十七年自七月至八月講義　秋丸陸軍主計大佐講述要旨　経済戦史』一九四三年一月総力戦研究所調製、一九五二年一〇月保安研修所複製（防衛省防衛研究所史料閲覧室所蔵、登録番号中央―全般その他―197_2）、四七―五六頁。本資料については荒川憲一氏からの御教示を得た。
(106) 『昭和十七年自七月至八月講義　秋丸陸軍主計大佐講述要旨　経済戦史』五六―六六頁。
(107) 小堀聡「日中戦争期財界の外資導入工作―日本経済連盟会対外委員会」『経済論叢』（京都大学）第一九一巻一号、二〇一七年三月、澤田節蔵『澤田節蔵回想録―一外交官の生涯』有斐閣、一九八五年、二三〇頁。
(108) 秋丸次朗は秋丸機関で「対支法幣工作など経済謀略に奏功」し、解散時に「謀略活動は中野学校（秘密戦士養成機関）へ移し」たと書いている（秋丸次朗「大東亜戦争秘話―開戦前後の体験記―秋丸機関の顛末を中心に」一三頁）。「対支法幣工作」「経済謀略」「中野学校」という言葉から、これは秋丸に「経済謀略機関」創設を命じた岩畔豪雄も関わり、陸軍登戸研究所第三科と陸軍中野学校が協力して行っていた「杉工作」のことであるのは明らかである（若松会編・発行『陸軍経理部よもやま話』一九八二年、一〇二―一〇三頁、山本憲蔵『陸軍贋幣作戦―計画・実行者が明かす日中戦秘話』現代史出版会、一九八四年、山田朗・明治大学平和教育登戸研究所資料館編『陸軍登戸研究所〈秘密戦〉の世界―風船爆弾・生物兵器・偽札を探る』明治大学出版会、二〇一二年）。陸軍登戸研究所、特に通貨偽造に関わった第三科関係の資料は終戦時に徹底的に焼却されている。秋丸機関の内部資料がほとんど残されておらず、また秋丸機関関係者の証言が一九七〇年代になるまであまり行われなかったのは、「経済謀略機関」として杉工作に関わったことも理由の一つと推測される。
(109) 陸軍経理学校の図書は終戦直後に当時の東京産業大学（現・一橋大学）に約二七、五〇〇冊が寄贈され、その後陸上自衛隊等に約一〇、四〇〇冊が返還され、残りの約一七、〇〇〇冊が現在一橋大学附属図書館に旧陸軍経理学校旧蔵図書として保存されている（一橋大学附属図書館編・発行『一橋大学所蔵文庫・コレクション紹介』二〇〇六年）。また秋丸機関から移管された資料を含む陸軍経理学校旧蔵図書類であり現在は防衛省防衛研究所に所蔵されている「若松史料」についても研究が進められている（大薗佳純「「若松史料」の構造と特質」『国文学研究資料館紀要　アーカイブズ研究篇』第二〇号、二〇二四年三月）。

(110) 秋丸次朗『朗風自伝』一九八八年、一六頁。

(111) 田中宏巳「米議会図書館（ＬＣ）所蔵の旧陸海軍資料について」同編『米議会図書館所蔵占領接収旧陸海軍資料総目録』東洋書林、一九九五年所収、ix―x頁。

(112) 橋川文三・今井清一編著『日本の百年８　果てしなき戦線』ちくま学芸文庫、二〇〇八年、五〇三頁。

Ⅱ 「秋丸機関」作成資料一覧

Ⅱ　「秋丸機関」作成資料一覧

・本表は『「秋丸機関」関係資料集成』全二〇巻の収録資料に加えて、所蔵を確認できる「秋丸機関」作成の資料を作成時系列順に並べたものである。
・灰色の網掛けは本集成未収録の資料である。
・作成月が不明の資料は各年の冒頭に配置した。
・執筆者／担当者の欄については、本集成に収録した資料のみ記した。その際、肩書は資料の記載に拠った。
・アメリカ議会図書館所蔵の資料の情報は田中宏巳編『米議会図書館所蔵占領接収旧陸海軍資料総目録』（東洋書林、一九九五年）により補足した。

作成年月日	資料名	執筆者／担当者	主な所蔵機関	収録巻
一九四〇年ヵ	物的資源力より見たる各国経済抗戦力の判断		福島大学食農学類	2
一九四〇年ヵ	英国の農産資源力		福島大学食農学類	5
一九四〇年ヵ	［英国　綿花・大麻・亜麻・ヒマシ油・桐油・生綿・生護謨］		福島大学食農学類	6
一九四〇年ヵ	アメリカ合衆国の農産資源力		福島大学食農学類	9
一九四〇年ヵ	［「独逸組」研究項目、分担者、委嘱者の表］		福島大学食農学類	13
一九四〇年ヵ	独逸の農産資源力		福島大学食農学類	13
一九四〇年四月	経研目録第一号　資料月報		福島大学食農学類	1
一九四〇年六月	経研目録第三号　資料目録		福島大学食農学類	1
一九四〇年七月	経研目録第四号　資料目録		福島大学食農学類	1
一九四〇年七月	経研資料訳第四号　列強の抗戦力		京都府立図書館	1
一九四〇年七月二九日ヵ	重要記事索引作製上の準拠項目一覧表（七、二九）		防衛省防衛研究所	3
一九四〇年八月	経研資料工作第二号 第一次欧州戦争ニ於ケル主要交戦国経済統制法令輯録	石田文次郎（京大法学部）、清水金二郎（京大助教授）、三宅和夫（京大大学院学生）、松岡義平（満洲建国大学講師）、仲濱虎一郎（京大人文科学研究所嘱託）、木村友三郎（満洲建国大学講師）、風間鶴壽（京大大学院学生）	東京大学経済学部資料室	2

一九四〇年八月	経研資料工作第二号　第二次欧州戦争ニ於ケル交戦各国経済統制法令輯録	石田文次郎（監修。京大法学部）、中川一郎（名古屋高商教授）、風間鶴壽（京大大学院学生）、清水金二郎（京大助教授）、實方正雄（大阪商大助教授）	東京大学経済学部資料室	2
一九四〇年八月一〇日	班報　第一号		福島大学食農学類	1
一九四〇年九月	経研資料調査第一号　貿易額ヨリ見タル我国ノ対外依存状況	二之宮景吉（正金銀行調査課）	東京大学経済学部資料室	18
一九四〇年九月	経研資料工作第一号　第二次欧州戦争に於ける経済戦関係日誌　第一年度		東京大学経済学部資料室	2
一九四〇年九月五日	班報　第二号		福島大学食農学類	1
一九四〇年一〇月二五日	班報　第三号		福島大学食農学類	1
一九四〇年一一月	経研資料調第四号　主要各国国際収支要覧	二之宮景吉（正金銀行調査課）	国立公文書館	3
一九四〇年一一月三〇日	第一部　物的資源力ヨリ見タル英国ノ抗戦力	秋丸次朗	福島大学食農学類	6
一九四〇年一一月三〇日	第一部　物的資源力ヨリ見タル米国ノ抗戦力	秋丸次朗	福島大学食農学類	9
一九四〇年一一月三〇日	第一部　物的資源力ヨリ見タル独逸ノ抗戦力	秋丸次朗	福島大学食農学類	13
一九四〇年一二月	経研報告第一号　経済戦の本質（中間報告案）		国立公文書館	
一九四〇年一二月	経研目年第一号　資料年報		北海道大学附属図書館	1
一九四一年	経研資料調第二九号　大東亜共栄圏綜合貿易年表（世界各ブロック別）〔I〕泰国		早稲田大学中央図書館	
一九四一年	経研資料調第二九号　大東亜共栄圏綜合貿易年表　別巻（中華民国北支那）		香川大学図書館／東京都立大学法学部	
一九四一年	経研資料訳第三一号　ソ連邦国民経済計画化の若干の問題		アメリカ議会図書館	
一九四一年	経研資料訳第三六号　第一次大戦に於ける英国の経済戦略		東京大学経済学部資料室	
一九四一年	経研資料訳第五九号　欧州大戦とアメリカの農業		アメリカ議会図書館	

一九四一年一月	経研資料工第五号　第一次大戦に於ける英国の戦時貿易政策	谷口吉彦（京都帝大教授）	東京大学経済学部資料室	5
一九四一年一月	経研資料訳第二五号　戦争論　軍事諸問題		防衛省防衛研究所	
一九四一年一月	経研資料訳第二六号　戦争経済学		東京大学経済学部資料室	
一九四一年一月	経研資料訳第三〇号　伊太利戦争経済の編成　戦時経済と協同主義		東京大学経済学部資料室	
一九四一年一月	経研資料訳第三二号　占領地域に於ける通貨工作		東京大学経済学部資料室／旭川市立大学図書館	
一九四一年一月	経研資料訳第三五号　戦時下イギリスの国内政治情勢		アメリカ議会図書館	
一九四一年二月	経研資料調第一〇号　米国に於ける戦略原料の海外依存程度		アメリカ議会図書館	
一九四一年二月	経研資料訳第四〇号　欧米諸国に於ける失業問題		牧野邦昭所有	
一九四一年二月二二日	ソ連経済抗戦力判断研究関係書綴		防衛省防衛研究所	11
一九四一年三月	経研報告第一号（中間報告）　経済戦争の本義	森田親三（陸軍省経理局主計課長）	防衛省防衛研究所／早稲田大学中央図書館／アメリカ議会図書館	3
一九四一年三月	経研資料工作第四号　支那事変経済戦関係日誌　第一輯		一橋大学経済研究所資料室	12
一九四一年三月	経研資料訳第三七号　国防経済論		東京大学経済学部資料室	
一九四一年三月	経研資料訳第四二号　総力戦下に於ける戦時財政		東京大学経済学部資料室	
一九四一年三月	経研資料訳第四四号　戦争と植民地の農業恐慌		早稲田大学中央図書館	
一九四一年四月	抗戦力判断資料第一号　抗戦力より観たる列強の統治組織		北海道大学附属図書館	4
一九四一年四月	経研資料調第一一号　抗戦力より観たる各国統治組織の研究		東京大学経済学部資料室	4
一九四一年四月	経研資料調第一二号　支那民族資本の経済戦略的考察		東京大学経済学部資料室	12

一九四一年四月	経研資料訳第四七号　経済戦略と戦争遂行戦争の経済的準備、経済的遂行様式 経済的結果に関する歴史的概観　上		東京大学経済学部資料室	
一九四一年四月	経研資料訳第四九号　比律賓に於ける主要港湾		早稲田大学中央図書館	
一九四一年四月一五日	経研情報第一七号　海外経済情報　昭和十六年四月十五日		国立公文書館	4
一九四一年五月	経研資料調第一四号　英国における統帥と政治の連絡体制		東京大学経済学部資料室	5
一九四一年五月	経研資料調第一六号　一九四〇年度米国貿易の地域的考察並に国別、品種別		東京大学経済学部資料室	9
一九四一年五月	経研資料訳第五三号　独伊経済の内幕		一橋大学経済研究所資料室	
一九四一年六月	経研資料調第一七号　独逸食糧公的管理の研究（要約篇）		国立公文書館	15
一九四一年六月	経研資料調第一八号　独逸食糧公的管理の研究		東京大学経済学部資料室	15
一九四一年六月	経研資料調第二〇号　支那沿岸密貿易の実証的研究	平瀬巳之吉（東亜研究所員）	国立国会図書館	12
一九四一年六月三〇日	経研情報第二二号　海外経済情報　昭和十六年六月三十日		国立公文書館	4
一九四一年七月	経研報告第一号　英米合作経済抗戦力調査（其一）		東京大学経済学部資料室／大東文化大学図書館	10
一九四一年七月	経研報告第二号　英米合作経済抗戦力調査（其二）		東京大学経済学部資料室／大東文化大学図書館	10
一九四一年七月	経研報告第二号別冊　英米合作経済抗戦力戦略点検討表		大東文化大学図書館	10
一九四一年七月	経研報告第三号　独逸経済抗戦力調査		静岡大学附属図書館	15
一九四一年七月	経研資料調第二一号　独逸の占領地区に於ける通貨工作		東京大学経済学部資料室	15
一九四一年七月	経研資料調第二三号　全体主義国家に於ける権利法の研究	石田次朗（京都帝大教授）、風間鶴壽（法学士）	東京大学東洋文化研究所	18

一九四一年七月	経研資料調第二四号　日米貿易断交ノ影響ト其ノ対策	生島廣治郎（神戸商大教授）	東京大学経済学部資料室	18
一九四一年七月	経研資料訳第五六号　経済戦争の概念と本質		東京大学経済学部資料室	
一九四一年七月	経研資料訳第五七号　オーストラリアの経済資源		国立国会図書館	
一九四一年七月一五日	経研情報第二三号　海外経済情報　昭和十六年七月十五日		国立公文書館	4
一九四一年八月	経研資料工作第一三号　極東ソ領占領後ノ通貨・経済工作案		防衛省防衛研究所	11
一九四一年八月	抗戦力判断資料第二号（其一）経済的抗戦要素としての印度及緬甸	枝吉勇（東亜研究所員）、外数名	防衛省防衛研究所、北海道大学附属図書館	5
一九四一年八月	抗戦力判断資料第二号（其二）経済的抗戦要素としての印度及緬甸	枝吉勇（東亜研究所員）、外数名	防衛省防衛研究所	6
一九四一年八月	抗戦力判断資料第二号（其三）経済的抗戦要素としての印度及緬甸	枝吉勇（東亜研究所員）、外数名	防衛省防衛研究所	6
一九四一年八月	抗戦力判断資料第二号（其四）経済的抗戦要素としての印度及緬甸	枝吉勇（東亜研究所員）、外数名	防衛省防衛研究所	6
一九四一年八月	経研資料訳第五八号　第二次大戦下の英国鉄道運輸		アメリカ議会図書館	
一九四一年八月	経研資料訳第六〇号　第二次大戦下のイタリー経済政策		アメリカ議会図書館	
一九四一年八月	経研資料訳第六一号　欧戦一年半後に於ける資本主義諸国の農業		アメリカ議会図書館	
一九四一年八月	経研資料訳第六二号　ドイツ工業に於ける集中過程		国立公文書館	
一九四一年八月	経研資料訳第六三号　濠州・新西蘭及び印度の軍備と軍需生産		防衛省防衛研究所	
一九四一年八月	経研資料訳第六四号　フランス植民地の原料資源		国立公文書館	
一九四一年九月	経研資料工作第一号ノ二　第二次欧州戦争に於ける経済戦関係日誌　第二年度		東京大学経済学部資料室	3

一九四一年九月	経研資料調第二七号　レオン・ドーデの「総力戦」論		東京大学経済学部資料室	4
一九四一年九月	経研資料訳第六五号　独逸占領下諸国に於ける通貨制度		牧野邦昭所有	
一九四一年九月	経研資料訳第六七号　アメリカの戦略的原料		国立公文書館	
一九四一年一〇月	抗戦力判断資料第三号（其一）　第一編　物的資源力より見たる独逸の抗戦力	山本鉞治、近藤康男（農林省統計課長）、渡邊一郎（日本発送電株式会社）、北久一（電気協会）、竹内謙二（鉄鋼連盟）、国松久彌（上智大学）	東京大学経済学部資料室	13
一九四一年一〇月	経研資料調第二八号　独逸戦時に活躍するトッド工作隊		東京大学経済学部資料室	15
一九四一年一〇月	経研資料訳第七一号　戦争経済思想史		一橋大学附属図書館	
一九四一年一一月	経研資料訳第八一号　一九四一年版年鑑抄訳　蘇連邦産業概観		国立公文書館	
一九四一年一一月	経研資料訳第八二号　資本主義諸国に於ける賃銀制度		慶應義塾大学三田メディアセンター	
一九四一年一一月	経研資料訳第八三号　生産原価とその引下方法		アメリカ議会図書館	
一九四一年一一月	経研資料訳第八四号　ソヴィエート経済に於ける貨幣の使命と機能		アメリカ議会図書館	
一九四一年一一月	経研資料訳第八五号　経済的地域配置の問題		アメリカ議会図書館	
一九四一年一一月	経研資料訳第八六号　生産手段と消費資料との相互関係		国立国会図書館	
一九四一年一二月	抗戦力判断資料第四号（其一）　第一編　物的資源力より見たる英国の抗戦力	竹内謙二（鉄鋼連盟）、国松久彌（上智大学）、渡邊一郎（日本発送電株式会社）、北久一（電気協会）、寺尾浄人（東洋経済新報）、近藤康男（農林省統計課長）	東京大学経済学部資料室	7
一九四一年一二月	経研資料調第三〇号　南方諸地域兵要経済資料		防衛省防衛研究所	19
一九四一年一二月	経研資料調第三三号　伊国経済抗戦力調査		国立国会図書館、小樽商科大学附属図書館	18

一九四一年一二月	経研資料調第三四号　戦争指導と政治の関係研究		専修大学図書館	20
一九四一年一二月	経研資料調第三五号　第一次大戦に於ける独逸戦時食糧経済		東京大学経済学部資料室	15
一九四一年一二月	経研資料調第三七号　経済戦争史の研究	秋丸次朗（主計大佐）、寺田彌吉	防衛省防衛研究所	4
一九四一年一二月	経研資料訳第七九号　金融恐慌論　一八二一―一九三八年		東京大学経済学部資料室	
一九四一年一二月	経研資料訳第八〇号　第一次世界帝国主義戦争		東京大学経済学部資料室	
一九四一年一二月	経研資料訳第八七号　ソ連邦の動力資源　石炭之部		東京大学経済学部資料室	
一九四一年一二月	経研資料訳第八九号　第一次大戦に於ける独逸戦時工業経済		アメリカ議会図書館	
一九四一年一二月	経研資料訳第九一号　ソ連邦社会主義工業の生産能力		防衛省防衛研究所	
一九四二年	経研資料調第二九号　大東亜共栄圏綜合貿易年表（世界各ブロック別）〔Ⅲ〕中華民国総覧		香川大学図書館／東京都立大学法学部	
一九四二年	経研資料調第二九号　大東亜共栄圏綜合貿易年表（世界各ブロック別）〔Ⅳ〕比律賓		防衛省防衛研究所	
一九四二年	経研資料調第二九号　大東亜共栄圏綜合貿易年表（世界各ブロック別）〔Ⅶ〕ビルマ		防衛省防衛研究所	
一九四二年	経研資料調第二九号　大東亜共栄圏綜合貿易年表（世界各ブロック別）〔Ⅸ〕満洲国		アメリカ議会図書館	
一九四二年	経研資料調第二九号　大東亜共栄圏綜合貿易年表（大日本帝国）〔Ⅷ〕第一分冊　内地―輸出		東京都立大学法学部／防衛省防衛研究所／早稲田大学中央図書館	
一九四二年	経研資料調第二九号　大東亜共栄圏綜合貿易年表（大日本帝国）〔Ⅷ〕第二分冊　内地―輸入		東京都立大学法学部／防衛省防衛研究所	
一九四二年	経研資料調第二九号　大東亜共栄圏綜合貿易年表（大日本帝国）〔Ⅷ〕第三分冊　台湾		東京都立大学法学部／防衛省防衛研究所	

一九四二年	経研資料調第二九号　大東亜共栄圏綜合貿易年表（大日本帝国）〔Ⅷ〕第四分冊　朝鮮		東京都立大学法学部／防衛省防衛研究所	
一九四二年一月	世界政治経済地図		北海道大学附属図書館／他三校／国立国会図書館	
一九四二年一月	経研資料調第三九号　濠州の政治経済情況	沖中恒幸（中大教授）	国立公文書館	9
一九四二年一月	経研資料調第四〇号　生産機構ヨリ見タル濠州及新西蘭ノ抗戦力		国立公文書館	9
一九四二年一月	経研資料工作第一六号　支那事変経済戦関係日誌　第二輯		静岡大学附属図書館	12
一九四二年一月	抗戦力判断資料第三号（其三）　第三編　資本力より見たる独逸の抗戦力	武村忠雄（慶應大学）、三浦實（金融研究会）、二之宮景吉（横浜正金銀行）	東京大学経済学部資料室	13
一九四二年一月	抗戦力判断資料第三号（其五）　第五編　配給及び貿易機構より見たる独逸の抗戦力	深見義一（東京商大教授）、堅山利忠（山崎経済研究所）、	東京大学経済学部資料室	14
一九四二年一月	抗戦力判断資料第四号（其四）　第四編　生産機構より見たる英国の抗戦力	沖中恒幸（中央大学教授）	北海道大学附属図書館	8
一九四二年二月	抗戦力判断資料第三号（其二）　第二編　人的資源力より見たる独逸の抗戦力	坂本泉（朝日新聞調査部）、宇治田富造	東京大学経済学部資料室	13
一九四二年二月	抗戦力判断資料第三号（其四）　第四編　生産機構より見たる独逸の抗戦力	今野源八郎（中央源八郎）、五十嵐駒二、豊田四郎（慶應大学）、齋藤晴造（貿易研究所）	東京大学経済学部資料室、昭和館	14
一九四二年二月	抗戦力判断資料第四号（其二）　第二編　人的資源より見たる英国の抗戦力	坂本泉（朝日新聞調査部）、大濱嘉明（三菱商事）	東京大学経済学部資料室	7
一九四二年二月	経研資料調第五一号　占領地幣制確立方策		東京大学経済学部資料室	19
一九四二年二月	経研資料訳第九二号　軍備年鑑　第一五年輯		昭和館	
一九四二年二月	経研資料訳第九五号　ソ連邦の動力資源　石油之部		慶應義塾大学三田メディアセンター	
一九四二年三月	経研資料工作第一七号　上海市場ノ再建方策		防衛省防衛研究所	12
一九四二年三月	経研資料工作第一八号　東部蘇連ニ於ケル緊急通貨工作案		防衛省防衛研究所	11
一九四二年三月	抗戦力判断資料第三号（其六）　第六編　交通機構より見たる独逸の抗戦力	前田陽之助（鉄道省）	東京大学経済学部資料室	14

一九四二年三月	抗戦力判断資料第五号（其一） 第一編 物的資源力より見たる米国の抗戦力	竹内謙二（鉄鋼連盟）、新井浩（東亜研究所）、菊池主計（満洲電鉄）、北久一（電力協会）、村山公三（東洋経済新報）	東京大学経済学部資料室、昭和館	9
一九四二年三月	抗戦力判断資料第五号（其二） 第二編 人的資源より見たる米国の抗戦力	手塚正夫（東亜研究所）、神野璋一郎（立教大学）	東京大学経済学部資料室	10
一九四二年三月	経研資料調第六五号 独逸大東亜圏間の相互的経済依存関係の研究 物資交流の視点に於ける		東京大学経済学部資料室	15
一九四二年三月	経研資料調第六六号 米英今後のゴム資源に就て		アメリカ議会図書館	
一九四二年三月	経研資料訳第九六号 印度洋の国防地理学的考察		アメリカ議会図書館	
一九四二年四月	抗戦力判断資料第五号（其三） 第三編 生産機構より見たる米国の抗戦力	神野璋一郎（立教大学）	防衛省防衛研究所	10
一九四二年四月	経研資料調第六七号 ファシスタイタリヤの国家社会機構の研究 第一部 経済編		アメリカ議会図書館	
一九四二年四月	経研資料調第六八号（其一） 独逸に於ける労働統制の立法的研究 上		東京大学経済学部資料室、昭和館	16
一九四二年四月	経研資料調第六八号（其二） 独逸に於ける労働統制の立法的研究 下		東京大学経済学部資料室	16
一九四二年四月	経研資料調第六九号 南阿連邦経済力調査	沖中恒幸	国立公文書館	9
一九四二年四月	経研資料調第七〇号 南阿連邦政治経済研究		東京大学経済学部資料室	9
一九四二年四月	経研資料調第七三号（其二） 蘇連邦経済調査資料（下巻）	益田直彦、錦織綾紹、高橋善雄、中澤健三、蜂谷吉之助、中村政雄、淺田萬喜雄、平館利雄	石巻専修大学図書館	11
一九四二年五月	経研資料調第七二号 蘇連邦経済力調査		防衛省防衛研究所	12
一九四二年五月	経研資料調第七四号 ソ連農産資源の地理的分布の調査		防衛省防衛研究所	12
一九四二年五月	経研資料訳第九七号 国防経済学の原理		東京大学経済学部資料室	
一九四二年五月	経研資料訳第九八号 亜細亜ロシアに於ける重工業 ウラル・クズバス総合企業の研究		慶應義塾大学三田メディアセンター	

一九四二年六月	経研資料工作第二三号　南方労力対策要綱		東京大学東洋文化研究所	19
一九四二年六月	抗戦力判断資料第五号（其四）　第四編　資本力より見たる米国の抗戦力		北海道大学附属図書館	10
一九四二年六月	抗戦力判断資料第五号（其五）　第五編　配給及び貿易機構より見たる米国の抗戦力	深見義一、桐川祥一、渡辺佐平、	北海道大学附属図書館	10
一九四二年六月	経研資料調第七九号　昭和十七年度ニ於ケル南方物資流入ニヨル帝国物的国力推移ノ具体的検討		防衛省防衛研究所	19
一九四二年七月	抗戦力判断資料第四号（其五）　第五編　貿易及び配給機構より見たる英国の抗戦力	渡辺佐平（法政大学教授）、深見義一（東京商大教授）、菊池富士雄（東京商大教授）	防衛省防衛研究所	7
一九四二年八月	抗戦力判断資料第四号（其六）　第六編　交通機構より見たる英国の抗戦力	前田陽之助（鉄道省）、川邊旨（鉄道省）、市原章則（日本郵船）	北海道大学附属図書館	7
一九四二年八月	抗戦力判断資料第五号（其六）　第六編　交通機構より見たる米国の抗戦力	前田陽之助（鉄道省）、川辺旨（鉄道省）	北海道大学附属図書館／昭和館	10
一九四二年九月	経研資料工作第一号ノ三　第二次欧州戦争に於ける経済戦関係日誌　第三年度		東京大学経済学部資料室	2
一九四二年九月	抗戦力判断資料第四号（其三）　第三編　資本力より見たる英国の抗戦力	大畑文七（文部省）、藤田武夫（東京市政調査会）	北海道大学附属図書館	7
一九四二年一一月	経研資料調第八八号　ファシスタイタリアの国家社会機構の研究		東京大学経済学部資料室	18
一九四二年一一月	経研資料調第八九号　ナチス独逸に於ける人口並に厚生政策立法の研究		昭和館／早稲田大学図書館	17
一九四二年一二月	経研資料調第九〇号（上）　東亜共栄圏の政治的経済的基本問題研究（上巻）	今中次麿、鎌田庄太郎、山内正樹	一橋大学附属図書館	20
一九四二年一二月	経研資料調第九〇号（下）　東亜共栄圏の政治的経済的基本問題研究（下巻）	成宮嘉造	一橋大学附属図書館	20
一九四二年一二月	経研資料調第九一号　大東亜共栄圏の国防地政学		昭和館	20

編・解説者紹介

牧野　邦昭（まきの　くにあき）
一九七七年生まれ。
慶應義塾大学経済学部教授

主要業績

『柴田敬―資本主義の超克を目指して』日本経済評論社、二〇一五年
『昭和史講義―最新研究で見る戦争への道』共著、ちくま新書、二〇一五年
『経済学者たちの日米開戦―秋丸機関「幻の報告書」の謎を解く』新潮社、二〇一八年
『新版　戦時下の経済学者―経済学と総力戦』中公選書、二〇二〇年
『戦争と平和の経済思想』共著、晃洋書房、二〇二〇年

編集復刻版
「秋丸機関」関係資料集成
第5回配本（第11巻・第12巻・別冊1）

2024年12月25日　第1刷発行

揃定価61、600円
（本体揃価格56、000円+税10%）

編・解説　牧野邦昭
発行者　船橋竜祐
発行所　不二出版　株式会社
〒112-0005
東京都文京区水道2-10-10
電話　03（5981）6704
http://www.fujishuppan.co.jp
組版・印刷・製本／昴印刷
乱丁・落丁はお取り替えいたします。

別冊　ISBN978-4-8350-8733-7
（全2冊・別冊1　分売不可　セット ISBN978-4-8350-8719-1）
2024 Printed in Japan